あきらめないこと、
それが冒険《ぼうけん》だ

最年少《さいねんしょう》として世界《せかい》七大陸最高峰登頂《たいりくさいこうほうとうちょう》に成功《せいこう》！

十六歳《さい》のときに登頂《とうちょう》に成功《せいこう》したモンブランを初《はじ》めにして、ほかの大陸最高峰登頂《たいりくさいこうほうとうちょう》にも次々《つぎつぎ》に成功《せいこう》していった。

モンブラン（旧《きゅう》ヨーロッパ大陸《たいりく》）1989年8月

キリマンジャロ（アフリカ大陸《たいりく》）
1989年12月

コジウスコ（オーストラリア大陸《たいりく》）
1992年9月

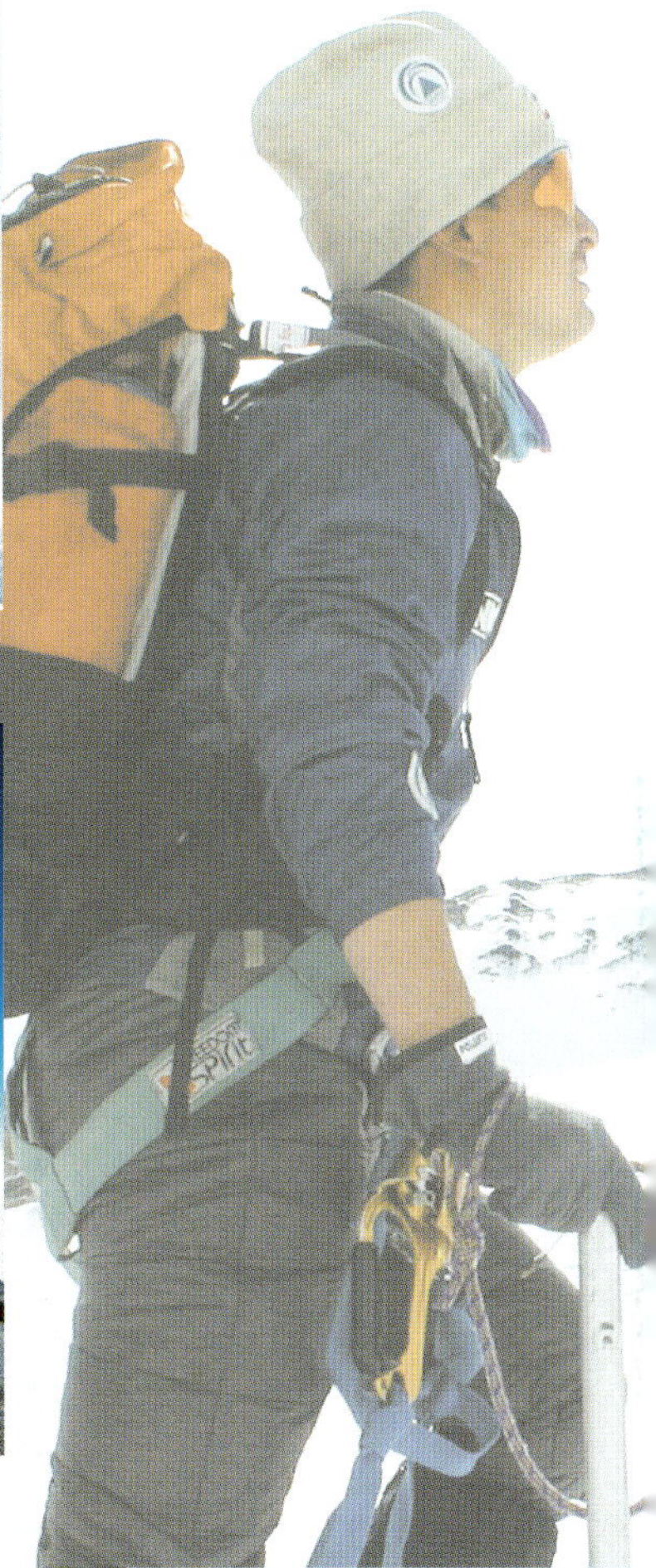

マッキンリー（北米大陸《ほくべいたいりく》）1993年6月

ビンソン・マシフ（南極大陸《なんきょくたいりく》）1994年12月

エルブルース（新《しん》ヨーロッパ大陸《たいりく》）1996年1月

アコンカグア（南米大陸《なんべいたいりく》）
1992年12月

エベレスト（アジア大陸《たいりく》）1999年5月

世界一《せかい》の山《やま》エベレストにも登頂成功《とうちょうせいこう》！

二回《かい》の失敗《しっぱい》のあと、三回目《かいめ》にして、なんとかエベレスト登頂《とうちょう》に成功《せいこう》する。世界最《せかいさい》高峰《こうほう》のエベレストは、やはりそれだけいろいろと困難《こんなん》なものだった。

ゴミ問題《もんだい》解決《かいけつ》への挑戦《ちょうせん》
エベレスト

エベレストには、過去《かこ》の登山隊《とざんたい》が残《のこ》した大量《たいりょう》のゴミが捨《す》てられていた。ここから野口健《のぐちけん》さんの清《せい》掃登山《そうとざん》の活動《かつどう》が始《はじ》まっていく。

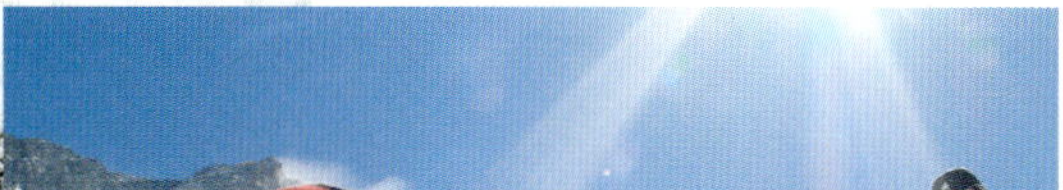

富士山《ふじさん》でも

日本一の山《やま》、富士山《ふじさん》もゴミがあふれていた。たくさんのボランティアの人《ひと》たちとともに、ゴミ集《あつ》めをする野口《のぐち》さん。

そして未来《みらい》へ向《む》けて

明日《あす》の地球環境《ちきゅうかんきょう》のために、野口《のぐち》さんは『環境学校《かんきょうがっこう》』の活動《かつどう》を通《とお》して環境《かんきょう》メッセンジャーを育《そだ》てている。

かけがえのないこの自然《しぜん》を、
次世代《じせだい》に、しっかり残《のこ》すため、
野口《のぐち》さんの活動《かつどう》は
これからも続《つづ》いていく……。

あきらめないこと、それが冒険《ぼうけん》だ

エベレストに登《のぼ》るのも冒険《ぼうけん》、ゴミ拾《ひろ》いも冒険《ぼうけん》！

野《の》口《ぐち》　健《けん》

あきらめないこと、それが冒険《ぼうけん》だ

エベレストに登《のぼ》るのも冒険《ぼうけん》、ゴミ拾《ひろ》いも冒険《ぼうけん》!

野《の》口《ぐち》 健《けん》

1　父《ちち》の言葉《ことば》

ぼくはとにかく勉強《べんきょう》のできない子《こ》どもだった。

好《す》きじゃないんだもん。しょうがないじゃないか。そう思《おも》っていた。

小学《しょうがく》四年《ねん》のころだった。ぼくがオール２の成績表《せいせきひょう》を持《も》って帰《かえ》ると、それを見《み》て父《ちち》がため息《いき》をついたことをよくおぼえている。

「ハアーッ！　これがおまえの成績《せいせき》か……！」

父《ちち》は外交官《がいこうかん》だ。外交官《がいこうかん》とは、外国《がいこく》に行《い》って、そこに住《す》みながら日本国《こく》の代表《だいひょう》としてその国《くに》といい関係《かんけい》を持《も》つためのおつきあいをする役人《やくにん》のこと。成績優秀《せいせきゆうしゅう》でないとなれない職業《しょくぎょう》だ。きっと父《ちち》は子《こ》どものとき勉強《べんきょう》ができたにちがいない。そんなエリートの父《ちち》が、わが子《こ》のオール２の成績表《せいせきひょう》を見《み》たんだからね。

「ハアーッ……！」

父《ちち》はまたため息《いき》をついた。

ため息《いき》なんて、あんまり耳《みみ》にしたことがなかったので、いまでもそのため息《いき》の、かなしいような、つかれたような、なんともいえない感《かん》じが記憶《きおく》の中《なか》に残《のこ》っている。

ぼくは体《からだ》をこわばらせて、じっと、父《ちち》のいいだす言葉《ことば》をいまかいまかと待《ま》っていた。

父《ちち》は、成績表《せいせきひょう》から目《め》をはなすと、ぼくの方《ほう》を向《む》いた。

「おまえ、勉強《べんきょう》がしたくないんだな。いいよ。したくなかったら、しなくていいよ。」

ぼくはギョッとなった。おこって、わざとそういったのか。そうじゃない。父《ちち》の声《こえ》にはおこっているようなところがまるでなかった。落《お》ち着《つ》いた静《しず》かな声《こえ》だった。

「勉強《べんきょう》はおしつけられてするもんじゃない。自分《じぶん》から進《すす》んでするもんだ。したくなかったら、しなくていい。でもね、勉強《べんきょう》はね、長《なが》い人生《じんせい》の中《なか》で必《かなら》ずどこかでしたくなるもんだ。その時《とき》にいっしょうけんめいすればいいんだよ。」

父《ちち》の話《はなし》はそれで終《お》わりだった。ぼくはしかられなくて、ひとまず、ほっとした。

ぼくはそのとき十歳《さい》だったから、「長《なが》い人生《じんせい》」なんていわれても何《なに》がなんだかさっぱりわからなかった。でもそのとき父《ちち》がいいたかったことは「勉強《べんきょう》しろ、勉強《べんきょう》しろ」

と、よくオトナがいうようなことではなく、もっと大切《たいせつ》な何《なに》かだったということは、おさないながらにも、なんだかわかったような気《き》がした。

勉強《べんきょう》したくなる時《とき》が必《かなら》ずくるから、その時《とき》にいっしょうけんめいすればいい。いい言葉《ことば》ではないだろうか。オトナになったいまのぼくは、父《ちち》のいったことがよくわかる。でも、その時《とき》まだまだ子《こ》どもだったぼくは、「勉強《べんきょう》したくなかったら、しなくていい」という言葉《ことば》の方《ほう》がよくわかった。父《ちち》におこられずにすんだことを「ラッキー！」と思《おも》いながら、すぐに表《おもて》に飛《と》びだしていたのだ。

ぼくは、勉強《べんきょう》ができないだけでなく、いたずらっ子《こ》で、ガキだいしょうだった。いや、ワルといった方《ほう》がいいかもしれない。父《ちち》のついたため息《いき》には、そういったことに対《たい》するがっかりした気持《きも》ちもふくまれていたのかもしれない。

でも、ぼくが、いわゆる一般的《いっぱんてき》な「いい子」になれなかったのには、それなりのわけがあるんだ。一口《ひとくち》ではいえない、複雑《ふくざつ》な、野口家《のぐちけ》の事情《じじょう》がね。でもぼく自身《じしん》は複雑《ふくざつ》だと思《おも》ったことはない。人《ひと》より運《うん》が悪《わる》いなんて思《おも》ったことは一度《ど》もない。けれども、一般的《いっぱんてき》な人《ひと》と比較《ひかく》すると、ぼくの家《いえ》は複雑《ふくざつ》でややこしいウチということになるだろう。

父《ちち》は日本人《じん》で、母《はは》はエジプト人《じん》だった。世界各国《せかいかっこく》を転々《てんてん》としている外交官《がいこうかん》の父《ちち》が、日本航空《にほんこうくう》のエジプト・カイロ支社《ししゃ》で働《はたら》いていた母《はは》をいっぺんで好《す》きになってしまって、やがて二人《ふたり》は結婚《けっこん》した。二人《ふたり》の間《あいだ》に兄《あに》が生《う》まれ、それからぼくが生《う》まれた。

アメリカのボストンでぼくは生《う》まれたのだ。外交官《がいこうかん》の父《ちち》は、アメリカにも長《なが》くいなかった。やがてサウジアラビアに移《うつ》り、それから日本へ、そしてエジプトへと、ぼくら家族《かぞく》は転々《てんてん》とした。父《ちち》の転勤《てんきん》で、ぼくらはたえず世界《せかい》のあちこちに移《うつ》り住《す》まざるをえなかったのだ。しかも、父《ちち》は仕事《しごと》の関係《かんけい》で夜《よる》おそくしか家《いえ》に帰《かえ》らないところがあり、夕食《ゆうしょく》のひと時《とき》をとても大事《だいじ》にする習慣《しゅうかん》をもつアラブ人《じん》の母《はは》にとって、それがたまらなくいやだったようだ。父《ちち》と母《はは》はときどきけんかをした。

日本には、四歳《さい》から九歳《さい》までいた。幼稚園《ようちえん》から小学《しょうがく》三年生《ねんせい》の間《あいだ》だ。ぼくはまわりから「外人《がいじん》、外人《がいじん》」といわれて、よくいじめられたものだ。幼稚園《ようちえん》のころはいじめられても、やられっぱなしだったけど、小学《しょうがく》二年《ねん》のころになると、反対《はんたい》にやり返《かえ》すまでになっていた。ぼくは、ガキだいしょうになった。そして、さほど楽《たの》しいできごとがないまま、ぼくたちは急《きゅう》にエジプトに引《ひ》っ越《こ》さなければならなくなった。

アメリカで生《う》まれた野口健《のぐちけん》さん。

小学生《しょうがくせい》のころ。音楽《おんがく》も大好《だいす》きだった。

野口《のぐち》さんの家族《かぞく》。手前左《てまえひだり》が野口健《のぐちけん》さん。

小学《しょうがく》三年《ねん》から六年《ねん》まで、ぼくはエジプトの首都《しゅと》カイロですごした。

カイロにある日本人学校《じんがっこう》に入《はい》り、エジプトに住《す》む日本人《じん》の子《こ》どもたちといっしょにすごすことになった。兄《あに》は、高校受験《こうこうじゅけん》のことがあって、途中《とちゅう》で日本にもどり、父《ちち》の実《じっ》家《か》にやっかいになることになった。

エジプト時代《じだい》は楽《たの》しかった。エジプトではいじめがなかった。なぜって、エジプトには、いろいろな外国人《がいこくじん》がたくさんいて、混血《こんけつ》のぼくなんか、ちっともめずらしくなかったからだ。エジプトには、世界《せかい》はもともといろんな人種《じんしゅ》でできあがっているのだという、あっけらかんとした空気《くうき》が流《なが》れているみたいだった。しめっぽい島国《しまぐに》の日本とはちがっていた。

青々《あおあお》した空《そら》の下《した》、ぎらぎらした太陽《たいよう》がかがやき、街《まち》はいたるところワイワイガヤガヤしていた。「勉強《べんきょう》、勉強《べんきょう》」という空気《くうき》はどこにも流《なが》れていなかった。「遊《あそ》べ、遊《あそ》べ」という明《あか》るい空気《くうき》が路地《ろじ》や通《とお》りや、学校《がっこう》の中《なか》にもあふれていた。ぼくには、すぐ気《き》の合《あ》う友《とも》だちができた。友《とも》だちといっしょにプールで泳《およ》いだり、スポーツクラブではしゃいだり、ときどきいたずらしたりして、遊《あそ》びまわる毎日《まいにち》だった。

ところが、そのころ、わが家《や》にとんでもないことが起《お》きつつあった。父《ちち》と母《はは》の仲《なか》がとても悪《わる》くなったのだ。エジプト生《う》まれの母《はは》は、エジプトに帰《かえ》ってきて、日本で苦労《くろう》していたうっぷんが出《で》たのか、父《ちち》と距離《きょり》がはなれていった。母《はは》は外出《がいしゅつ》が多《おお》くなって、夜《よる》も家《いえ》をあけるようになった。父《ちち》と母《はは》はけんかをひんぱんにするようになった。

母《はは》に恋人《こいびと》ができたみたいで、やがて父《ちち》と母《はは》は離婚《りこん》することになる。

両親《りょうしん》のことは、ぼくにとって一大事件《いちだいじけん》だった。いったいぼくはこれからどうなるんだろうと思《おも》った。母《はは》は一人《ひとり》で家《いえ》を出《で》ていき、父《ちち》とぼくが家《いえ》に残《のこ》ることになった。二人《ふたり》きりの生活《せいかつ》が始《はじ》まった。父《ちち》は仕事《しごと》の関係上《かんけいじょう》、夜《よる》おそく帰《かえ》ってくることにいぜん変《か》わりがなかったので、ぼくはひとりぼっちでいることが多《おお》くなった。

がらんとした家《いえ》に一人《ひとり》きり。これはかなりつらいものがあった。ぼくの遊《あそ》びは、だんだん荒《あ》れてきた。いそがしい父《ちち》の弱《よわ》みにつけこむようにしてねだったおこづかいで、映画館《えいがかん》に行《い》ったり、友《とも》だちといっしょにすしを食《た》べたり、タクシーを乗《の》りまわして夜《よる》おそく家《いえ》に帰《かえ》ったりした。ぼくのいたずらはだんだんひどくなり、とんでもない悪《わる》さもするようになった。最初《さいしょ》に書《か》いた父《ちち》のため息《いき》の話《はなし》は、このころのことだった。

父《ちち》は、毎朝《まいあさ》、ぼくの弁当《べんとう》を作《つく》ってくれた。いつも同《おな》じシャケ弁《べん》だったけど、でも父《ちち》はどんなに夜《よる》おそく帰《かえ》ってきても朝早《あさはや》く起《お》きて、ぼくの弁当《べんとう》を作《つく》ってくれた。それを忘《わす》れることは決《けっ》してなかった。

父《ちち》は、ぼくに対《たい》して責任《せきにん》を感《かん》じていたようだ。学校《がっこう》が長《なが》い休《やす》みに入《はい》ると、父《ちち》はぼくを旅行《りょこう》に連《つ》れていってくれた。

父《ちち》と二人《ふたり》でする自由気《じゆうき》ままな旅《たび》はおもしろかった。いろいろな国《くに》に行《い》き、いろいろなものをいっしょに食《た》べ、いろいろな名所旧跡《めいしょきゅうせき》をながめ、いろいろな所《ところ》に泊《と》まって、いろいろな話《はなし》をした。

「健《けん》。この街《まち》はどうだ？　どんな感《かん》じがする？」

「これまで見《み》てきた街《まち》と、ちがって見《み》えるね。」

「そうだね。きのう行《い》った街《まち》は裕福《ゆうふく》だったけど、この街《まち》はちがうね。」

「どうして？」

「ユダヤ人《じん》が住《す》んでる街《まち》は裕福《ゆうふく》だけど、どうしてそうなるかっていうと、ユダヤ人《じん》は街《まち》で生《い》きていくのがうまくて、とても商売上手《しょうばいじょうず》なんだな。つまりお金《かね》もうけがうまいんだ。」

「ふーん。いろんな人《ひと》がいろんな暮《く》らし方《かた》で生《い》きてるんだね。」

「そうさ。世界《せかい》は広《ひろ》いからね。世界《せかい》にはさまざまな国《くに》があり、さまざまな人種《じんしゅ》がさまざまな生活習慣《せいかつしゅうかん》で暮《く》らしているんだよ。」

ぼくと父《ちち》は、イスラエルの街中《まちなか》で、あたりを見《み》わたしながらこんなふうに話《はな》し合《あ》った。

ぼくたちは、やがてイギリスに移《うつ》り住《す》むことになるんだけど、イギリスのころもふくめた五年《ねん》ほどの間《あいだ》に、イスラエル、スペイン、イタリア、ドイツ、デンマーク、ノルウェーなど世界各国《せかいかっこく》を旅《たび》する体験《たいけん》を持《も》つことができた。小《ちい》さいころにこんなにいろんな国《くに》を旅行《りょこう》できるなんて、ぼくはラッキーだった。いま考《かんが》えると、家《いえ》にだれもいなかったり両親《りょうしん》が離婚《りこん》したりしたことは不運《ふうん》だったけど、そのかわり、いいこともいっぱいあったんだね。

父《ちち》がぼくにやさしくなったのも、その一つだ。外交官《がいこうかん》として立派《りっぱ》に生《い》きてきた父《ちち》に対《たい》して、いたずら小《こ》ぞうのぼくはとっつきにくく思《おも》われる時《とき》があったんだ。だけど、離婚《りこん》してからの父《ちち》は、いかめしいところがまるでなくなってしまった。夜《よる》、よっぱらって帰《かえ》ってきたり、だらしない服装《ふくそう》で家《いえ》の中《なか》を歩《ある》きまわったりした。ハアーッとため息《いき》もついたりした。

「パパもたいへんなんだ！」

ぼくは、父《ちち》の気持《きも》ちがよくわかった。悲《かな》しい気持《きも》ちでいっぱいなんだろうと思《おも》った。

ぼくだって、もちろん、母《はは》がいなくなって悲《かな》しい気持《きも》ちだった。でも、父《ちち》も、妻《つま》に去《さ》られて悲《かな》しい気持《きも》ちだったにちがいない。それがぼくにはよくわかった。ぼくはもともと勉強《べんきょう》のできない劣等生《れっとうせい》。でも父《ちち》もまた結婚《けっこん》に失敗《しっぱい》して人生《じんせい》の劣等生《れっとうせい》になった。ぼくと父《ちち》はその時《とき》、同《おな》じ仲間《なかま》のような気《き》がした。父《ちち》が、ぼくと同《おな》じように失敗《しっぱい》したりヘマをやらかす人間《にんげん》になって、高《たか》い所《ところ》から降《お》りてきてぼくの近《ちか》くにやってきたことが、ぼくにはなんだかとてもうれしかった。

だから、あーでもない、こーでもないと、おしゃべりしながら、父《ちち》といっしょにする旅行《りょこう》は楽《たの》しかった。父《ちち》も、気《き》が晴《は》れるのか、楽《たの》しそうだった。

父《ちち》は、旅《たび》の途中《とちゅう》の野外《やがい》レストランなどで、わらいながらこういった。

「健《けん》。さぁ、肉《にく》を食《た》べろ！　もっと食《た》べろ！」

「そんなに食《た》べられないよ。」

「食《く》え！　食《く》え！　パパも食《く》うぞ。世界《せかい》を旅《たび》するには体力《たいりょく》がいるんだ。どこに住《す》んでも楽《たの》しいじゃないか。おもしろいじゃないか。とにかく元気《げんき》に前《まえ》に進《すす》むことが一番《いちばん》だ。それにはパワーをつけとかないとね。」

「わかった。よーし、ぼくも食《く》うぞ！」

ぼくは肉《にく》を口《くち》いっぱいにほおばりながら、通《とお》りをぞろぞろ歩《ある》いている人々《ひとびと》をながめた。いろんな人々《ひとびと》が明《あか》るくのびのびと生《い》きていた。おしゃべりしたり、笑《わら》いあったり、市場《いちば》で物《もの》を売《う》ったり買《か》ったりして、あっちに行《い》く者《もの》、こっちにやってくる者《もの》、ワイワイガヤガヤ、みんなそれぞれ生《い》きていた。それらすべてが、なんだかすばらしい世界《せかい》として感《かん》じられたのだ。子《こ》どものころの印象《いんしょう》ぶかい風景《ふうけい》を一つあげるとすれば、このアラブの人々《ひとびと》の風景《ふうけい》だ。そこでは、いろんな人々《ひとびと》が、みんな陽気《ようき》に生《い》きていた。

2　落《お》ちこぼれ

小学《しょうがく》六年生《ねんせい》の終《お》わりごろ、父《ちち》がイギリスの日本大使館《たいしかん》に転勤《てんきん》するのにともなって、ぼくもエジプトを去《さ》ってイギリスに移《うつ》り住《す》むことになった。

ぼくは、ロンドンから電車《でんしゃ》で二時間《じかん》ほど行《い》った所《ところ》にある、「立教英国学院《りっきょうえいこくがくいん》」という中《ちゅう》・高一貫校《こういっかんこう》に入学《にゅうがく》した。立教英国学院《りっきょうえいこくがくいん》は、生徒《せいと》が全員《ぜんいん》寄宿舎生活《きしゅくしゃせいかつ》をしながら勉強《べんきょう》するという全寮制《ぜんりょうせい》の学校《がっこう》だった。ぼくは寄宿舎《きしゅくしゃ》に住《す》み、父《ちち》はロンドンに住《す》むという、はなればなれの生活《せいかつ》が始《はじ》まった。父《ちち》と母《はは》はそのころ正式《せいしき》に離婚《りこん》していた。兄《あに》は日本に住《す》んで学校《がっこう》に通《かよ》っていた。

ぼくはひとりぼっちのような気《き》がした。さびしい毎日《まいにち》だった。

立教英国学院《りっきょうえいこくがくいん》に入学《にゅうがく》してくる子《こ》どもたちは、海外《かいがい》に住《す》んでいる日本人《じん》の子《こ》どもたちで、銀行員《ぎんこういん》や商社《しょうしゃ》マンの子《こ》とか、日本社会《にほんしゃかい》でのエリート層《そう》の子《こ》どもたちばかりだった。

エジプトからイギリスに移《うつ》るころの野口健《のぐちけん》さん。

お父《とう》さんと。

ゆくゆくは日本に帰《かえ》り、受験《じゅけん》していい大学《だいがく》に入《はい》ろうとする子《こ》どもたちがほとんどだった。だから、勉強《べんきょう》ができて、礼儀《れいぎ》正《ただ》しい子《こ》どもが多《おお》かった。

彼《かれ》らと、エジプトでしたいほうだい遊《あそ》んできたぼくとの学力《がくりょく》の差《さ》はあきらかだった。それに、イギリスという国《くに》は、エジプトとちがって、社会《しゃかい》の仕組《しく》みがしっかりしている国《くに》で、どちらかというと日本の社会《しゃかい》に似《に》ていた。日本よりかたくるしい空気《くうき》が流《なが》れていた。空《そら》の色《いろ》だって、くもり空《ぞら》が多《おお》く、エジプトの空《そら》とはまるでちがっていた。あのぎらぎらした太陽《たいよう》の光《ひかり》はどこにもふりそそいでいなかった。

ぼくはイギリスにきて初《はじ》めて、本物《ほんもの》の劣等感《れっとうかん》を感《かん》じた。エジプトでは「ワル」だったけど「落《お》ちこぼれ」じゃなかった。だけどイギリスでは、ぼくは勉強《べんきょう》のできない、人《ひと》より劣《おと》った、完全《かんぜん》な「落《お》ちこぼれ」だった。

立教英国学院《りっきょうえいこくがくいん》は、規律《きりつ》のきびしい学校《がっこう》だった。毎日朝《まいにちあさ》七時《じ》に起《お》こされ、ラジオ体操《たいそう》、朝食《ちょうしょく》、学校《がっこう》にある教会《きょうかい》で朝《あさ》の礼拝《れいはい》、それから授業《じゅぎょう》、ずっと授業《じゅぎょう》が続《つづ》いて、夕食《ゆうしょく》の後《あと》も授業《じゅぎょう》がある。エジプトとは月《つき》とスッポンの生活《せいかつ》だった。ぼくは息苦《いきぐる》しかった。

学校《がっこう》の勉強《べんきょう》をいっしょうけんめいする気持《きも》ちにはどうしてもなれなかった。ぼくには、英語《えいご》の単語《たんご》の意味《いみ》を一つ一つおぼえたり、歴史《れきし》の年号《ねんごう》をおぼえたりすることが、どうしても性《しょう》に合《あ》わなかった。成績《せいせき》は最低《さいてい》だった。

こんなふうにして「落《お》ちこぼれ」のまま、中学時代《ちゅうがくじだい》がすぎてぼくは高校《こうこう》に進級《しんきゅう》することになった。立教英国学院《りっきょうえいこくがくいん》は中《ちゅう》・高一貫校《こういっかんこう》だったから、ぼくはそのまま上《あ》がるのかと思《おも》っていたら、そうではなかった。「野口《のぐち》はあまりに成績《せいせき》が悪《わる》いので、進級《しんきゅう》させていいのかどうか」が先生方《せんせいがた》の間《あいだ》で問題《もんだい》になったらしい。

これは後《あと》で聞《き》いたことなのだが、この時《とき》、校長先生《こうちょうせんせい》が助《たす》け船《ぶね》を出《だ》してくれたのだという。

「野口《のぐち》は勉強《べんきょう》はできないが、エネルギーがある。『これはどうしてですか？』とわたしに質問《しつもん》してきたりしたことが何度《なんど》かあった。彼《かれ》ははきはきしていて、力強《ちからづよ》さを持《も》っている生徒《せいと》だ。あのエネルギーが悪《わる》い方《ほう》に向《む》くと危険《きけん》だろうが、良《よ》い方《ほう》に向《む》くといいと思《おも》うんだ。良《よ》い方《ほう》に向《む》けるのが、われわれの仕事《しごと》であり、それこそが『教育《きょういく》』というものじゃないかね。」

校長先生《こうちょうせんせい》の推薦《すいせん》でぼくは進級《しんきゅう》することができた。ところが、悪《わる》い成績《せいせき》をとっても進《しん》級《きゅう》できるということになったら、ほかの生徒《せいと》たちに良《よ》くない影響《えいきょう》をあたえると先生方《せんせいがた》は思《おも》ったようだった。ぼくと、ほかの生徒《せいと》とは一線《いっせん》を引《ひ》いて、ぼくは「仮進級《かりしんきゅう》」という形《かたち》で許可《きょか》されることになったのだ。

ぼくは進級《しんきゅう》できて、ほっとした。ところが、その喜《よろこ》びはつかの間《ま》で、いざ高校生《こうこうせい》になってみると、クラブ活動《かつどう》も文化祭《ぶんかさい》にも参加《さんか》が許《ゆる》されないことがわかってびっくりした。ぼくは、まさしく「仮《かり》」の形《かたち》でしか立教英国学院《りっきょうえいこくがくいん》に属《ぞく》さない生徒《せいと》になっていたのだ。

このことが生徒《せいと》たちの間《あいだ》にも知《し》れわたって、いつの間《ま》にか、ぼくのあだ名《な》が「カリ野口《のぐち》！」となった。

「おい、カリ野口《のぐち》！　カリカリ！」

これには、ぼくもまいってしまった。みんな、ぼくのことを「野口《のぐち》」とはよばず、「落《お》ちこぼれ！　落《お》ちこぼれ！」とよんでいるのと同《おな》じだった。ぼくには「落《お》ちこぼれ」というレッテルが完全《かんぜん》にはられてしまったのだ。

高校生《こうこうせい》という時期《じき》は、おとなになる手前《てまえ》の時期《じき》であり、ぼくは小学生《しょうがくせい》の時《とき》とちがって、「落《お》ちこぼれなんて関係《かんけい》ないさ」と、きれいさっぱり忘《わす》れてしまうことができなくなっていた。

まわりの目《め》を気《き》にせざるをえない年《とし》ごろだった。ぼくの気持《きも》ちは暗《くら》くなった。

どんよりしたイギリスの空《そら》。それはエジプトの青《あお》くてぎらぎらした空《そら》とまったくちがっていた。あの少年時代《しょうねんじだい》の楽《たの》しさやときめきはどこかにいってしまった。だれかがぼくの体《からだ》をふみつけているような感《かん》じ。教室《きょうしつ》はもちろん、運動場《うんどうじょう》にいても、ろうかを歩《ある》いていても、寄宿舎《きしゅくしゃ》の中《なか》にいても、ぼくは「落《お》ちこぼれの野口《のぐち》」で、つまらなかった。夜《よる》、ぼくはベッドの上《うえ》で寝返《ねがえ》りをうちながら、ひとりぼっちを感《かん》じて、ホッとため息《いき》をついた。

やることなすことがうまくいかなくなって、いらいらしてきた。この世《よ》の中《なか》にはぼくのしたいことがどこにもないような気持《きも》ちがした。机《つくえ》のはしでも、けっとばしたいような気持《きも》ちだった。

ある日《ひ》の放課後《ほうかご》、ぼくがポケットに手《て》をつっこんでろうかを歩《ある》いていると、向《む》こうから上級生《じょうきゅうせい》がやってきた。たぶん、その時《とき》ぼくはふてくされた顔《かお》で歩《ある》いていて、その顔《かお》で上級生《じょうきゅうせい》をちらりと見《み》たのだろう。上級生《じょうきゅうせい》もぼくをちらりと見《み》た。そのころは、よく上級生《じょうきゅうせい》たちに「態度《たいど》がでかい！」とどなられていたものだから、その上級生《じょうきゅうせい》と目《め》があった時《とき》に、ぼくはカーッとなってしまった。

後《あと》は自分《じぶん》でもよくわからない。その上級生《じょうきゅうせい》をめちゃくちゃになぐっていた。びっくりするぐらい顔《かお》がはれてしまった。

やがて先生《せんせい》にばれてこの暴力事件《ぼうりょくじけん》は問題《もんだい》になった。ぼくは学校《がっこう》から一か月《げつ》の停学《ていがく》をいいわたされた。

停学《ていがく》の間《あいだ》は、謹慎《きんしん》（外《そと》に出《で》ないで行動《こうどう》をつつしみ反省《はんせい》すること）をしていなければならない。ちょうどそのころ、父《ちち》が、今度《こんど》は中東《ちゅうとう》の国《くに》、イエメンに転勤《てんきん》になるというので、その準備《じゅんび》のために日本に一時帰国《いちじきこく》しようとしていた。そこでぼくも、日本の、父《ちち》の実家《じっか》にやっかいになり、そこで停学期間《ていがくきかん》をすごすことがいいんじゃないかということになった。父《ちち》は一足先《ひとあしさき》に日本に帰国《きこく》し、ぼくがその後《あと》を追《お》いかける形《かたち》になった。

その時《とき》、ぼくは十五歳《さい》。九歳《さい》で日本から出《で》ていってしまったぼくにとっては、六年《ねん》ぶりの日本だった。アメリカで生《う》まれたぼくだったけど、ぼくは、父《ちち》の国《くに》である日本に対《たい》してどくとくななつかしさをいつも感《かん》じていた。

イギリスを出《で》て、ひとり日本行《い》きの飛行機《ひこうき》に乗《の》ったとき、宙《ちゅう》ぶらりん状態《じょうたい》の自分《じぶん》の行《い》く先《さき》が日本であることがうれしかった。

「帰《かえ》るぞ！　ぼくは日本に帰《かえ》るんだ！」

日本で何《なに》をするあてもなかったが、ぼくは飛行機《ひこうき》の中《なか》で、むしょうにあこがれのようなものを感《かん》じていた。窓《まど》の外《そと》にうかぶ雲《くも》を見《み》ながら、ほっとしていた。かがやかしい太陽《たいよう》の光《ひかり》。ふわふわした雲《くも》。こういう美《うつく》しいものがあったんだな。ぼくはぼんやりながめていた。

だけど、ゆううつなことが一つあった。それは、日本に行《い》けば父《ちち》にしかられるだろうということだった。ひさしぶりに父《ちち》に会《あ》うのがこわかった。勉強《べんきょう》ができないばかりか、停学処分《ていがくしょぶん》をくらった息子《むすこ》に対《たい》して、父《ちち》はどういうだろうと思《おも》った。

ところが、いざ日本に着《つ》いて父《ちち》の実家《じっか》に行《い》くと、父《ちち》も、兄《あに》も、実家《じっか》のおじいちゃんも、みんな、ぼくをにこにこした笑顔《えがお》でやさしくむかえてくれた。

そのうえ父《ちち》はぼくにこういった。

「健《けん》。おまえ、これからどうするつもりだ？」

「どうするつもりって？　ぼくは謹慎《きんしん》なんだよ。毎日《まいにち》、本《ほん》を読《よ》んだりしてすごすよ。」

「ふーん。そうかね。ところで、勉強《べんきょう》はおもしろいか？」

「いや、ぜんぜん。でも勉強《べんきょう》はみんなしてるから、しなくちゃならないだろうね。勉《べん》強《きょう》がきらいなぼくはどうしていいか時々《ときどき》わからなくなるんだ。勉強《べんきょう》しないと、いい大《だい》学《がく》にも入《はい》れないし、いい会社《かいしゃ》にも入《はい》れないしね。いい大学《だいがく》を卒業《そつぎょう》して、いい会社《かいしゃ》に入《はい》らないと、やっぱりダメなんだろうね。」

父《ちち》は、にやりとしたように見《み》えた。

「そうじゃないよ、健《けん》。一流大学《いちりゅうだいがく》に入《はい》ることや一流企業《いちりゅうきぎょう》に入《はい》ることはたいしたことないんだ。そんなのは長《なが》い人生《じんせい》の中《なか》で、たいしたことじゃないんだ。」

父《ちち》の言葉《ことば》は、エリートコースの道《みち》を進《すす》むなんてとてもむりだと思《おも》って投《な》げやりになっていたぼくの気持《きも》ちをグイと引《ひ》きつけた。

「どういうこと？」

たずねると、父《ちち》はやさしい顔《かお》つきになっていった。

「一流大学《いちりゅうだいがく》の名前《なまえ》、一流企業《いちりゅうきぎょう》の名前《なまえ》、それはみんな肩書《かたが》きなんだ。レッテルなんだ。表向《おもてむ》きの顔《かお》にすぎないんだ。わかるかい？　パパも外交官《がいこうかん》として、肩書《かたが》きを全面《ぜんめん》に出《だ》して生《い》きてはいるよ。でも、退職《たいしょく》したら、ただの人《ひと》だ。ふつうの人《ひと》だ。いい会社《かいしゃ》の社《しゃ》長《ちょう》だって、本当《ほんとう》はただの人《ひと》なんだ……。」

「だけど……。将来《しょうらい》はお金《かね》をかせいで、自分《じぶん》で生《い》きていかなきゃならないんだから……。」

「そうだね。そのとおり。自分《じぶん》の力《ちから》で自立《じりつ》していかなきゃならない。でもね。その方《ほう》法《ほう》は、一流大学《いちりゅうだいがく》に入《はい》って、一流企業《いちりゅうきぎょう》に入《はい》ってという一つの道《みち》だけじゃないんだ。道《みち》はいっぱいあるんだ。一番大事《いちばんだいじ》なことは、自分《じぶん》がしたいことをして満足《まんぞく》できるかどうかなんだ。」

父《ちち》は続《つづ》けた。

「人《ひと》が進《すす》む道《みち》と同《おな》じ道《みち》を進《すす》むことが大事《だいじ》じゃなくて、自分《じぶん》の道《みち》を見《み》つけて自分《じぶん》の満足《まんぞく》できる道《みち》を自分《じぶん》の力《ちから》で進《すす》むことが大事《だいじ》なんだ。そしたら、たとえ失敗《しっぱい》したって、おれはおれなりにやったんだ、しょうがないって満足《まんぞく》して思《おも》えるじゃないか。」

「なるほど。」

「だからね。そういうことを今一度《いまいちど》考《かんが》えてみるためにも、ただぼうーっと家《いえ》にとじこもっているのはよくない。謹慎《きんしん》なんて、もってのほかだ。」

「えーっ！」

「謹慎中《きんしんちゅう》は学校《がっこう》から時々《ときどき》変《か》わったことはないかって確認《かくにん》の電話《でんわ》が入《はい》ることになってるんだけど、それにはパパがうまく答《こた》えておく。じっとしてるなんて、おまえには似合《にあ》わん。おまえは一人《ひとり》で旅《たび》をしろ！　大阪《おおさか》のおじさんの所《ところ》に行《い》って、それから奈良《なら》とか関西《かんさい》を旅《たび》してみるのがいいんじゃないか。」

「わかった。」

ぼくは父《ちち》の意見《いけん》にすぐにしたがった。

3　ぼくの進《すす》む道《みち》はこれだ！

ぼくは大阪《おおさか》のおじさんの家《いえ》に寝泊《ねとま》りしながら、一人《ひとり》で京都《きょうと》や奈良《なら》をぶらつく旅《たび》を始《はじ》めた。

日本はなんて美《うつく》しい国《くに》だと思《おも》った。おそらく、日本に住《す》む人《ひと》たちは、こんなに美《うつく》しい国《くに》に自分《じぶん》たちが住《す》んでいるとは思《おも》いにくいのかもしれない。でも、外国《がいこく》で長《なが》く住《す》んだ者《もの》にとっては、日本はじつにすばらしい国《くに》に見《み》える。こういう国《くに》は世界《せかい》にはなかなかない。

お寺《てら》。神社《じんじゃ》。名所旧跡《めいしょきゅうせき》。自然《しぜん》。木々《きぎ》。草花《くさばな》。川《かわ》。水《みず》。すし、刺身《さしみ》、うどんなどの食《た》べ物《もの》……。

「ああ、いいな。のんびりするな。」

五月《がつ》だった。空《そら》は青《あお》く、ぼくは何《なに》も考《かんが》えず、旅《たび》するうれしさでいっぱいだった。

京都《きょうと》の南禅寺《なんぜんじ》でお坊《ぼう》さんとなかよくなったり、哲学《てつがく》の道《みち》でおまわりさんに家出少年《いえでしょうねん》とまちがわれて、それが元《もと》で親《した》しくなったりした。旅《たび》は、ぼくの行《い》きづまってかたくなっていた心《こころ》をやわらかくほぐしてくれるようだった。

そうして、二週間《しゅうかん》ほどの予定《よてい》だった旅《たび》もそろそろ終《お》わりをむかえようとしていたころだった。ぼくは大阪《おおさか》の本屋《ほんや》に入《はい》って、本《ほん》を選《えら》んでいた。これといって読《よ》みたい本《ほん》があるわけではなく、何《なに》かいい本《ほん》がないかとさがしていたのだ。そこでぼくは一冊《さつ》の本《ほん》とめぐりあったのだ。

冒険家《ぼうけんか》の植村直己《うえむらなおみ》さんが書《か》いた『青春《せいしゅん》を山《やま》に賭《か》けて』という本《ほん》だった。

「植村直己《うえむらなおみ》」という名前《なまえ》は教科書《きょうかしょ》かなんかで知《し》っていたが、さほどくわしく知《し》ってはいなかった。だけど冒険《ぼうけん》の本《ほん》にぼくは興味《きょうみ》があった。これまでサハラ砂漠《さばく》を命《いのち》をかけて横断《おうだん》した人《ひと》の本《ほん》などを読《よ》んで感動《かんどう》していたので、その時《とき》も冒険《ぼうけん》の本《ほん》がないかとさがしていたら、植村《うえむら》さんの本《ほん》に出会《であ》ったというわけだった。

ぼくはそれを買《か》うと、おじさんの家《いえ》にもどってさっそく読《よ》みはじめた。読《よ》み進《すす》むうちに、ぼくの心《こころ》の中《なか》に、なんともいえない気持《きも》ちがわいてきた。

それはたんなるサクセスストーリーではなかった。人《ひと》のやれない冒険《ぼうけん》に成功《せいこう》した偉《い》大《だい》な立派《りっぱ》な物語《ものがたり》、といった内容《ないよう》ではなかったのだ。その話《はなし》は、「落《お》ちこぼれ」から始《はじ》まっていた。植村《うえむら》さんは人生《じんせい》の最初《さいしょ》、いろいろなことがうまくいかなかったらしい。それでコンプレックスを感《かん》じて、悩《なや》む日々《ひび》が続《つづ》いた。自分《じぶん》は人《ひと》より劣《おと》っている「落《お》ちこぼれ」だと思《おも》って、放浪《ほうろう》していた。それが山登《やまのぼ》りをすることによって突破口《とっぱこう》を見《み》いだし、世界的《せかいてき》な冒険《ぼうけん》を成功《せいこう》させることによって自信《じしん》をとりもどし、ついに自分《じぶん》の世界《せかい》を社会《しゃかい》に向《む》けて確立《かくりつ》したのだ。

植村《うえむら》さんは本《ほん》の中《なか》で、「自分《じぶん》は人並《ひとな》み以下《いか》の人間《にんげん》だ。それで、人《ひと》ができないことをやろうと思《おも》った。人《ひと》ができないことをやることによって、ようやく自分《じぶん》は人並《ひとな》みになれるのだ」というようなことを書《か》いている。ぼくはそこにジーンときてしまった。

それは、ぼくと似《に》たような「落《お》ちこぼれ」の境遇《きょうぐう》からスタートして、冒険《ぼうけん》をすることによってそれを逆転《ぎゃくてん》していった物語《ものがたり》だった。

読《よ》んでいるうちに、胸《むね》が熱《あつ》くなって、思《おも》わずこぶしをにぎりしめた。

「すげえーっ！」

そしてぼくは思《おも》った。

「山《やま》って、なんだろう？　山《やま》に登《のぼ》るって、どういうことなんだろう？」


一か月《げつ》の停学期間《ていがくきかん》が終《お》わり、ぼくはふたたびイギリスにもどった。イギリスを出《で》た時《とき》はどんづまりの暗《くら》い気持《きも》ちだったが、もどった時《とき》はいくぶん明《あか》るくなっていた。ぼくの手元《てもと》には、いつも植村《うえむら》さんの本《ほん》があり、『山《やま》と渓谷《けいこく》』など、山《やま》に関係《かんけい》する雑誌《ざっし》があるようになった。ぼくは植村《うえむら》さんの本《ほん》を繰《く》り返《かえ》し読《よ》み、山《やま》に関《かん》しての情報《じょうほう》を集《あつ》めてそれを吸収《きゅうしゅう》した。

ぼくはもうまわりが気《き》にならなくなっていた。「カリ！」などという言葉《ことば》は、もうあまり耳《みみ》に入《はい》らなくなった。ぼくは休《やす》み時間《じかん》になっても、机《つくえ》の上《うえ》に山関係《やまかんけい》の本《ほん》を開《ひら》いて、一人《ひとり》ひっそりとすごすことを好《この》んだ。

「まぁ、きれいね、その写真《しゃしん》！」

その時《とき》、ぼくに声《こえ》をかけてくる者《もの》がいた。

顔《かお》をあげると、となりの席《せき》の純子《じゅんこ》だった。

彼女《かのじょ》は、髪《かみ》の長《なが》い女《おんな》の子《こ》で、勉強《べんきょう》がとてもできる優等生《ゆうとうせい》だった。ぼくだって女《おんな》の子《こ》にまったく無関心《むかんしん》ではなかったが、あまりにも優等生《ゆうとうせい》の彼女《かのじょ》とはなんにも接点《せってん》がないと思《おも》いこんでいた。なのに、彼女《かのじょ》の方《ほう》から声《こえ》をかけてきたのにはおどろいた。

「野口《のぐち》くんって、山《やま》に興味《きょうみ》があるの？」

「う……うん。」

「もしかして、山《やま》に登《のぼ》りたいって思《おも》ってるんじゃない？」

「うん……まぁ。」

彼女《かのじょ》がどんどん話《はな》しかけてくる。ぼくはおされ気味《ぎみ》だったけど、内心《ないしん》うれしくてたまらなかった。

その日以来《ひいらい》、彼女《かのじょ》と話《はなし》をすることが多《おお》くなった。彼女《かのじょ》は、植村直己《うえむらなおみ》の『青春《せいしゅん》を山《やま》に賭《か》けて』を読《よ》みたいといった。本《ほん》を貸《か》すと、数日後《すうじつご》、本《ほん》をもどしながら彼女《かのじょ》はきらきらした歯《は》を見《み》せて、ぼくに笑《わら》いかけた。

「感動《かんどう》したわ！　すばらしい物語《ものがたり》ね。山登《やまのぼ》りって、こんなに感動的《かんどうてき》だなんて、わたし思《おも》わなかったわ！」

ぼくは自分《じぶん》のことをいわれているように有頂天《うちょうてん》になった。

でも、立教英国学院《りっきょうえいこくがくいん》は男女交際《だんじょこうさい》に関《かん》してはきびしい学校《がっこう》だった。彼女《かのじょ》の成績《せいせき》はとても優秀《ゆうしゅう》だったこともあり、劣等生《れっとうせい》のぼくとつきあうことを学校側《がっこうがわ》はまずいと判断《はんだん》したのか、やがて担任《たんにん》の先生《せんせい》からぼくはクギをさされた。

彼女《かのじょ》とのつきあいをやめろと先生《せんせい》はいった。ぼくはあいまいにうなずいた。

ぼくは差別《さべつ》のようなものを感《かん》じて腹立《はらだ》たしかったが、立教英国学院《りっきょうえいこくがくいん》の生徒《せいと》であるかぎり、彼女《かのじょ》とはあいさつを交《か》わしてちょっと話《はな》すくらいで、それ以上交際《いじょうこうさい》することは許《ゆる》されなかった。でもとなりの席《せき》にいつも彼女《かのじょ》がすわっていることは、ぼくの学校生活《がっこうせいかつ》を以前《いぜん》とはくらべものにならないほど明《あか》るくした。

だけど、ぼくはあいかわらず勉強《べんきょう》の苦手《にがて》な子《こ》であることに変《か》わりはなかった。教室《きょうしつ》では小《ちい》さくなって、ときどき頭《あたま》の中《なか》で植村直己《うえむらなおみ》のことや山登《やまのぼ》りのことを想像《そうぞう》してすごした。

冬休《ふゆやす》みがやってきた。ぼくは、純子《じゅんこ》がこっそり応援《おうえん》してくれたこともあって、イギリスにもどってきてから思《おも》いついた山登《やまのぼ》りの計画《けいかく》を実行《じっこう》に移《うつ》すことにした。

ふたたび日本に帰《かえ》ると、雑誌《ざっし》にのっている「山登《やまのぼ》りの会《かい》」に入会申《にゅうかいもう》し込《こ》みの電話《でんわ》をつぎつぎにかけていった。でも、高校生《こうこうせい》を入会《にゅうかい》させてくれるグループはどこにもなかった。それでもどこかないかと電話作戦《でんわさくせん》を続《つづ》けるうちに、ついに『無名山塾《むめいさんじゅく》』を開《ひら》く岩崎元郎《いわさきもとお》さんの会《かい》「ピッケル＆《アンド》アイゼンと友《とも》だちになる会《かい》」に入《はい》ることができた。岩崎《いわさき》さんのグループもふつうは高校生《こうこうせい》を入《い》れないようだったが、ぼくに興味《きょうみ》を持《も》った岩崎《いわさき》さんが特別《とくべつ》に入会《にゅうかい》を許《ゆる》してくれたのだ。

山《やま》に登《のぼ》るには道具《どうぐ》がいる。ぼくは、そのころイエメンにいた父《ちち》に電話《でんわ》を何度《なんど》もかけて、説明《せつめい》して、必死《ひっし》にねだった。ようやく登山用具一式《とざんようぐいっしき》を買《か》ってもらうことに成功《せいこう》した。

そうしてぼくの最初《さいしょ》の登山《とざん》は冬《ふゆ》の富士山《ふじさん》に決《き》まった。

十二月《がつ》の二十日《はつか》ごろの午前《ごぜん》四時《じ》、ぼくは、岩崎《いわさき》さんたちといっしょに富士山《ふじさん》のふもとに集合《しゅうごう》した。あたりはまっ暗《くら》で、寒《さむ》い。いまから高《たか》さ三三五〇メートルの八合目《ごうめ》まで登《のぼ》るのだ。

「さぁ、出発《しゅっぱつ》だ！」

岩崎《いわさき》さんの合図《あいず》で、三十人《にん》ほどの参加者《さんかしゃ》がぞろぞろと登《のぼ》りはじめた。まだ一度《ど》も山《やま》に登《のぼ》っていないぼくは、列《れつ》のまん中《なか》あたりに連《つら》なってみんなといっしょに歩《ある》きだした。

ぼくは何《なに》から何《なに》まで初《はじ》めてづくしの登山《とざん》だった。最初《さいしょ》はひょこひょことかんたんに歩《ある》いていたが、一時間《じかん》ほどすると、足《あし》が重《おも》くなって、ちょっと息《いき》ぎれするようになった。風《かぜ》も強《つよ》い。山登《やまのぼ》りは、予想以上《よそういじょう》にたいへんなスポーツであることを実感《じっかん》していた。

「おいおい。もうバテたのかい？」

岩崎《いわさき》さんは高校生《こうこうせい》のぼくを見守《みまも》ってくれていたのだろう。近寄《ちかよ》ってきて、かるく笑《わら》いかけながらいった。

「山《やま》での歩《ある》き方《かた》はコツがあるんだ。いいかい？　こう歩《ある》くんだ。」

岩崎《いわさき》さんは実際《じっさい》に歩《ある》いて見《み》せて、ぼくに山《やま》での歩《ある》き方《かた》を教《おし》えてくれた。それは、ひざから前《まえ》にふみだす歩《ある》き方《かた》で、つま先《さき》からふみだす普通《ふつう》の歩《ある》き方《かた》よりも、むだがなくてつかれない歩《ある》き方《かた》だった。岩崎《いわさき》さんのいうとおりに歩《ある》いてみて、ぼくはなるほどとなっとくした。

初《はじ》めての山登《やまのぼ》り（1989年《ねん》・富士山《ふじさん》の八合目《ごうめ》にて）。

二時間《じかん》ほど歩《ある》くと、六合目《ごうめ》（二七八〇メートル）にたどりついた。このあたりから雪道《ゆきみち》になった。雪道《ゆきみち》といっても半分《はんぶん》こおっている雪道《ゆきみち》だ。すべらないように、アイゼン（登《と》山靴《ざんぐつ》の下《した》に付《つ》ける鋼鉄《こうてつ》のツメ）をガキガキいわせながら、上《うえ》に進《すす》んでいく。雪道《ゆきみち》を歩《ある》きつづけるのはつかれる。でも、このころになると、つかれながら登《のぼ》っていくことがぼくには確《たし》かな手《て》ごたえとして感《かん》じられるようで、なんだか気持《きも》ちがよくなっていた。

ようやく八合目《ごうめ》に着《つ》いた。少《すこ》し休《やす》んでから、雪上訓練《せつじょうくんれん》が開始《かいし》された。この訓練《くんれん》の方《ほう》が今回《こんかい》のメインらしく、雪《ゆき》の斜面《しゃめん》の下《くだ》り方《かた》の練習《れんしゅう》だった。

雪《ゆき》の斜面《しゃめん》に足《あし》をふみだし、わざとすべって、ピッケル（登山用《とざんよう》つるはし）を雪面《せつめん》に打《う》ちこんで体《からだ》の動《うご》きを停止《ていし》させ、ななめになった体《からだ》を立《た》て直《なお》すというトレーニングだった。本格的登山《ほんかくてきとざん》においては、雪面《せつめん》ですべった時《とき》に、あわてることなしに、このやり方《かた》がたやすくできなければならない。

何度《なんど》も何度《なんど》も繰《く》り返《かえ》し、訓練《くんれん》した。ぼくはピッケルを使《つか》うのも初《はじ》めてだったし、雪《せっ》面《めん》をすべるのも初《はじ》めてだったので、へとへとになってしまった。

はぁはぁ息《いき》をはきながらしゃがみこんでいると、岩崎《いわさき》さんがやってきた。

「きみは初心者《しょしんしゃ》だから、へたばるのもしかたないね。でもね。」

岩崎《いわさき》さんは落《お》ち着《つ》いた声《こえ》で言葉《ことば》を続《つづ》けた。

「山《やま》で一番大事《いちばんだいじ》なことは、自分《じぶん》で登《のぼ》ったら、自分《じぶん》で下《お》りてくるということだ。いつも自力《じりき》でやること、これが山登《やまのぼ》りの原則《げんそく》だ。自分《じぶん》ですべり落《お》ちたら、自分《じぶん》の力《ちから》で止《と》まって、そして自分《じぶん》ではいあがってこなければならない。だれも助《たす》けてはくれん。わかるかい？　山登《やまのぼ》りにあまえはゆるされないんだ。」

「はい！」

ぼくは元気《げんき》よく返事《へんじ》した。それは学校《がっこう》でする返事《へんじ》とはちがっていた。岩崎《いわさき》さんのいうことは本当《ほんとう》だと思《おも》った。ここまで登《のぼ》ってきてみて、山登《やまのぼ》りのきびしさと、誰《だれ》にもたよることができないということが、体《からだ》じゅうでよくわかった。

雪上訓練《せつじょうくんれん》が終《お》わり、富士山《ふじさん》から下《お》りてくるころ、ぼくはさわやかさを感《かん》じていた。

「山《やま》っていいな！」

ぼくは心《こころ》の中《なか》でつぶやき、これまで味《あじ》わったことのない充実感《じゅうじつかん》を感《かん》じていた。

一週間後《しゅうかんご》、岩崎《いわさき》さんに連《つ》れられて今度《こんど》は八ヶ岳《やつがたけ》に登《のぼ》った。ぶじ山頂《さんちょう》まで登《のぼ》ることができて、山登《やまのぼ》りがぜんおもしろくなった。

二週間後《しゅうかんご》、岩崎《いわさき》さんとは別《べつ》の登山《とざん》グループといっしょに北《きた》アルプスの穂高《ほだか》に登《のぼ》った。途中《とちゅう》で猛吹雪《もうふぶき》になった。雪《ゆき》まみれになってむちゅうで下《お》りてきた時《とき》、雪《ゆき》がやんで、視界《しかい》が一気《いっき》に開《ひら》けた。向《む》こうに、空《そら》にくっつくようにして山並《やまな》みが見《み》える。静《しず》かで美《うつく》しくて、広々《ひろびろ》していて、おおらかな景色《けしき》だった。この世《よ》のものとは思《おも》われないほど神《しん》秘的《ぴてき》な自然《しぜん》が、ぼくの目《め》の前《まえ》にあった。立《た》ち止《ど》まってそれをながめていると体《からだ》じゅうがジーンとなって、かみなりを受《う》けたようにぼくの気持《きも》ちはしびれた。この景色《けしき》の前《まえ》では、学校《がっこう》での悩《なや》みや、日《ひ》ごろの不満《ふまん》などが、きれいさっぱり消《き》えて、真《ま》っ白《しろ》な気持《きも》ちになっていた。ぼくはその時《とき》、少年《しょうねん》の心《こころ》のままだった。ぼくはちっとも落《お》ちこぼれじゃなかった。この真《ま》っ白《しろ》な心《こころ》だけは、だれも、どんなことがあっても、傷《きず》つけたりよごしたりすることはできないのだ。

「これだ！」

ぼくは山《やま》に向《む》かって大声《おおごえ》でさけびたい気持《きも》ちだった。

ついにぼくは自分《じぶん》の道《みち》を見《み》つけたと思《おも》った。

4　モンブランとキリマンジャロ

ぼくはイギリスにもどった。寄宿舎生活《きしゅくしゃせいかつ》が始《はじ》まった。でも、勉強《べんきょう》どころではなかった。岩崎《いわさき》さんから聞《き》いた一つの情報《じょうほう》に、ぼくはくぎづけになっていたのだ。

それは、来年《らいねん》の夏《なつ》に『無名山塾《むめいさんじゅく》』でモンブランに登《のぼ》るという情報《じょうほう》だった。

モンブランは、フランスとイタリアとの国境《こっきょう》ぞいにある山《やま》で、標高《ひょうこう》四八〇八メートル、ヨーロッパ一高《たか》い山《やま》だ。植村直己《うえむらなおみ》さんが初《はじ》めて登《のぼ》った外国《がいこく》の山《やま》も、このモンブランだった。モンブランは三角錐《さんかくすい》の美《うつく》しい形《かたち》をしていて、登山《とざん》をめざす人《ひと》なら一度《いちど》は登《のぼ》ってみたい山《やま》だった。

だが、モンブランは、山《やま》を始《はじ》めて一年《ねん》もしない初心者《しょしんしゃ》がかんたんに登《のぼ》ることができる山《やま》ではない。これはイギリスにもどる前《まえ》に話《はな》し合《あ》ったことなのだが、岩崎《いわさき》さんからモンブラン登山《とざん》の話《はなし》を聞《き》いた時《とき》、ぼくはすぐその登山《とざん》に参加《さんか》したいといった。が、岩《いわ》崎《さき》さんはウンとはいわなかった。それはあたり前《まえ》だ。ぼくだってもし『無名山塾《むめいさんじゅく》』のトップに立《た》つ身《み》であったなら、責任上《せきにんじょう》、数《すう》か月《げつ》しか山登《やまのぼ》りの経験《けいけん》のない若者《わかもの》のモンブラン行《い》きを許《ゆる》すわけがない。

だが、ぼくはぜひともモンブランに登《のぼ》りたかった。だから、その時《とき》、強引《ごういん》に、岩崎《いわさき》さんにしつこく何度《なんど》もたのんだ。が、岩崎《いわさき》さんは首《くび》をたてにふらなかったのだ。

イギリスに着《つ》いても、ぼくはモンブランをあきらめきれなかった。モンブランの写真《しゃしん》を見《み》たりして、ぼくはこの山《やま》のことを胸《むね》の中《なか》であたためていた。

すると、岩崎《いわさき》さんからとつぜん連絡《れんらく》がきたのだ。モンブラン行《い》きを許《ゆる》すけれども岩崎《いわさき》さんが危険《きけん》だと判断《はんだん》した時《とき》はすぐに山《やま》を下《お》りてもらう、という条件《じょうけん》つきの許可《きょか》だった。

ワーオ。ぼくは飛《と》びあがりたいほどうれしかった。

夏《なつ》にはまだ半年《はんとし》ほどある。モンブラン行《い》きが決《き》まったのなら、さっそく準備《じゅんび》をしなければならないと思《おも》った。どんな準備《じゅんび》をすればいいのかよくわからないまま、体《からだ》だけはきたえておこうと思《おも》って、腹筋運動《ふっきんうんどう》やマラソンなどを一人《ひとり》始《はじ》めた。

「よーし、必《かなら》ず登《のぼ》ってやるぞ！」

ぼくは胸《むね》の中《なか》でつぶやいた。そんなぼくのひそかな野望《やぼう》は、クラスのだれも知《し》らなかった。ただ純子《じゅんこ》だけが知《し》っていた。ぼくは彼女《かのじょ》に山《やま》のことを話《はな》していた。彼女《かのじょ》だけがモンブラン登山《とざん》に賛成《さんせい》してくれ、応援《おうえん》してくれていた。

ところが、ぼくが知《し》らないうちに、いつの間《ま》にか二人《ふたり》の関係《かんけい》に壁《かべ》が立《た》ちはだかっていたことを知《し》っておどろいた。

彼女《かのじょ》の友《とも》だちがぼくに告《つ》げた話《はなし》によると、彼女《かのじょ》は職員室《しょくいんしつ》によびだされて、野口《のぐち》とはつきあわないようにと注意《ちゅうい》を受《う》けたようだ。優等生《ゆうとうせい》の彼女《かのじょ》の成績《せいせき》が落《お》ちているのだろうか。とにかく、野口《のぐち》なんかとつきあっていればろくなことはないという先生《せんせい》の忠告《ちゅうこく》があったらしい。

そういえば、とぼくに思《おも》い当《あ》たることがあった。最近《さいきん》、ぼくが話《はな》しかけても、彼女《かのじょ》はいそがしそうにしてぼくの方《ほう》を見《み》ないことがときどきあった。なるほど、あれはそういうわけだったのか。彼女《かのじょ》はぼくとちがって、おじょうさん育《そだ》ちだ。そんなふうにプレッシャーをかけられたなら、どうしていいかわからず、こまってしまうにちがいない。彼女《かのじょ》がかわいそうだった。なんだか社会《しゃかい》には変《へん》てこな岩山《いわやま》のようなものがあって、ぼくと純子《じゅんこ》の間《あいだ》に重《おも》くのしかかってくるようなのだ。なぜそうなるのか。ぼくにはわからなかった。

ぼくはひとまず彼女《かのじょ》のことはそっとしておくことにし、モンブランに登《のぼ》ることだけに集中《しゅうちゅう》しようとした。

父《ちち》にモンブランのことを話《はな》すと、気《き》をつけろとだけいって許《ゆる》してくれた。

やがて夏《なつ》がやってきた。

モンブランに登《のぼ》る岩崎《いわさき》さんグループは、ぼくもふくめて合計《ごうけい》五人《にん》だった。

ぼくら五人《にん》はモンブランに登《のぼ》る前《まえ》に、予行演習《よこうえんしゅう》として、四〇九九メートルのスイスのメンヒ峰《ほう》に登《のぼ》った。高《たか》い山《やま》に登《のぼ》るためには体《からだ》をならす必要《ひつよう》がある。目的《もくてき》の山《やま》に登る前《まえ》に、目的《もくてき》の山《やま》よりやや低《ひく》めの山《やま》に登《のぼ》っておくというのが、一般的《いっぱんてき》な登山《とざん》のやり方《かた》だった。

四〇〇〇メートルの高《たか》さの山《やま》はぼくにとって初《はじ》めての経験《けいけん》だった。予想以上《よそういじょう》に高《たか》さは体《からだ》にこたえるものだということがわかった。モンブランはさらに八百《ぴゃく》メートル高《たか》い山《やま》だ。

そして本番《ほんばん》。

八月四日《がつか》の早朝《そうちょう》、ぼくたちは四八〇八メートルのモンブランの頂上《ちょうじょう》めざして歩《ある》きだした。その日《ひ》は、途中《とちゅう》にある山小屋《やまごや》に泊《と》まって、二日《ふつか》がかりで登《のぼ》る予定《よてい》だった。

岩《いわ》と氷河《ひょうが》をぬけて、道《みち》なき道《みち》を歩《ある》いていく。ところどころに、クレバスという氷河《ひょうが》の割《わ》れ目《め》がある。そこをうまく越《こ》えていかなければならない。割《わ》れ目《め》の深《ふか》さは何十《なんじゅう》メートルにもなる。落《お》ちたら、ほとんど死《し》ぬしかない。おそるおそるぼくはわたっていった。

だが、山小屋《やまごや》にたどりつく手前《てまえ》で、とんでもない場所《ばしょ》が出現《しゅつげん》した。上《うえ》から岩《いわ》がたえず落《お》ちてくる氷河《ひょうが》の通《とお》り道《みち》だ。そこを通《とお》って前《まえ》に進《すす》まなければならない。通《とお》る時《とき》に上《うえ》から岩《いわ》が落《お》ちてきて、それが運悪《うんわる》く大《おお》きな岩《いわ》で、よけきれずに当《あ》たったらそれで一巻《いっかん》の終《お》わりという場所《ばしょ》だった。

「ここでは多《おお》くの登山家《とざんか》が亡《な》くなっている。十分気《じゅうぶんき》をつけるように！」

岩崎《いわさき》さんがお手本《てほん》を示《しめ》すように、最初《さいしょ》にわたりはじめた。大小《だいしょう》の岩《いわ》がガラガラ落《お》ちてくる。見《み》ていると、岩崎《いわさき》さんは岩《いわ》かげにかくれたりして、うまくよけながらぶじに通《とお》りぬけた。

次《つぎ》がぼくの番《ばん》だった。ふるえるような気持《きも》ちだった。

「よし。行《い》くしかない！」

ぼくは前《まえ》に進《すす》んだ。かけ足《あし》で通《とお》りぬけていった。運良《うんよ》く、ぼくの体《からだ》に岩《いわ》は当《あ》たらなかった。よかった、よかった。わたりきることができて、ぼくはホッと胸《むね》をなでおろした。

つぎの日《ひ》、朝《あさ》の三時《じ》にぼくらは山小屋《やまごや》を出発《しゅっぱつ》した。もうすぐ頂上《ちょうじょう》だぞという思《おも》いで力《ちから》が入《はい》った。やがて太陽《たいよう》が現《あらわ》れ、ぼくらの進《すす》むべき道《みち》をやさしく照《て》らしてくれた。山小屋《やまごや》を出《で》て五時間《じかん》ほどがすぎた時《とき》、ついにモンブランの頂上《ちょうじょう》にたどりついた。

「やりました！　ありがとうございます！」

ぼくは思《おも》わず岩崎《いわさき》さんに向《む》かって、大《おお》きな声《こえ》を出《だ》していた。

ぼくにとっては、世界的《せかいてき》に有名《ゆうめい》な山《やま》の初征服《はつせいふく》だった。

ぼくは四八〇八メートルの高《たか》みに立《た》ち、はればれしい気持《きも》ちで、ぼうっとかすむ周《しゅう》囲《い》を見《み》わたしていた。空《そら》の中《なか》にいるみたいだ。このぼくがモンブランに登《のぼ》ることができたなんて、信《しん》じられないくらいだ。でも、やったんだ。ぼくだって、やればできるんだ。ぼくは大《おお》きな自信《じしん》をモンブランからもらったような気《き》がした。

ぼくは山《やま》を下《お》りながら、次《つぎ》のことを考《かんが》えていた。

（植村直己《うえむらなおみ》さんが登《のぼ》ったように、次《つぎ》はキリマンジャロに登《のぼ》るんだ！）

夏休《なつやす》みが終《お》わり、学校《がっこう》が始《はじ》まった。ちょっとがっかりしたのは、ぼくがモンブランに登《のぼ》ったことを話《はな》しても、同級生《どうきゅうせい》たちや先生《せんせい》たちがさほどおどろかなかったことだ。べつに人《ひと》をおどろかすためにやったわけじゃないけれど、それでも、命《いのち》をかけてやった登山《とざん》なんだから、もう少《すこ》し「すごいなぁ！」と感心《かんしん》してほしかった。どうやら、彼《かれ》らにとってモンブランは、ヨーロッパ一高《たか》くてすごい山《やま》というイメージよりも、スキー場《じょう》のある有名《ゆうめい》な山《やま》というイメージの方《ほう》が強《つよ》いみたいだった。

そこで次《つぎ》はなんとしてもキリマンジャロに登《のぼ》って、ぼくのやったことを強《つよ》くみんなに印象《いんしょう》づけたくなった。勉強《べんきょう》以外《いがい》にもすばらしいことはあるんだということを、ぜひとも知《し》らしめたかった。

アフリカ大陸《たいりく》で一番高《ばんたか》い山《やま》であるキリマンジャロは、ケニアの首都《しゅと》ナイロビの近《ちか》くにある。標高《ひょうこう》五八九五メートル。モンブランより千《せん》メートルも高《たか》い。キリマンジャロは、父《ちち》が外交官《がいこうかん》として働《はたら》いているイエメンから近《ちか》かった。そのことがなにかとつごうがよかった。

モンブランに登《のぼ》ってから四か月後《げつご》の十二月《がつ》。冬休《ふゆやす》みを利用《りよう》して、ぼくは日本の旅行《りょこう》会社《がいしゃ》が企画《きかく》したキリマンジャロ登山《とざん》ツアーの一員《いちいん》としてキリマンジャロに登《のぼ》ることにした。ベテラン登山家《とざんか》のツアーコンダクターがいることも、まだまだ登山経験《とざんけいけん》の少《すく》ないぼくにとっては、好《こう》つごうだった。

ぼくはやる気《き》まんまんで登《のぼ》りはじめた。最初《さいしょ》はジャングルをぬけていかなければならない。ところが三日目《みっかめ》、頭《あたま》がもうれつに痛《いた》くなってきた。痛《いた》い。痛《いた》すぎる。頭痛《ずつう》はひどくなる一方《いっぽう》だった。さらにはき気《け》もしてきた。体調《たいちょう》が一気《いっき》にくずれてきた。

高山病《こうざんびょう》であった。高山病《こうざんびょう》とは、高《たか》い所《ところ》で起《お》きる酸素欠乏症《さんそけつぼうしょう》のこと。頭痛《ずつう》やはき気《け》やむくみなどの症状《しょうじょう》が起《お》こってくるのが特徴《とくちょう》で、ひどいと死《し》にいたることもある危険《きけん》な病気《びょうき》だった。ところが、ぼくはモンブランに登《のぼ》った時《とき》まったく高山病《こうざんびょう》の症状《しょうじょう》が起《お》こらなかったので、自分《じぶん》は高山病《こうざんびょう》にはならない体質《たいしつ》なんだとかんたんに思《おも》いこんで油断《ゆだん》してしまったのだ。

その時《とき》も、かぜをひいたのだと思《おも》った。というのも、山小屋《やまごや》で寝《ね》る時《とき》にぼくは寝袋《ねぶくろ》を用意《ようい》してこなかったのだ。これは周囲《しゅうい》の人《ひと》があきれるようなミスなのだが、なぜ用《よう》意《い》しなかったのかというと、モンブランなどヨーロッパの山小屋《やまごや》には設備《せつび》が完備《かんび》していて、わざわざ寝袋《ねぶくろ》を持《も》っていかなくても十分《じゅうぶん》すごせるようになっていたからだった。

ところが、アフリカの山小屋《やまごや》はまるでちがっていた。ただのかんたんな小屋《こや》にすぎなかった。夜《よる》は冷《ひ》える。すきま風《かぜ》が入《はい》ってくる。でも、寝袋《ねぶくろ》を持《も》っていないことが周《しゅう》囲《い》の人《ひと》に知《し》られるのははずかしかったので、ぼくは黙《だま》って知《し》らんふりをした。自分《じぶん》のジャンパーにくるまって寝《ね》はじめた。でも寒《さむ》くてねむれなかった。

そういうわけで、かぜをひいたので頭痛《ずつう》が起《お》きたのだと、ぼくは考《かんが》えた。が、それは高山病《こうざんびょう》だったのだ。あまりに頭痛《ずつう》とはき気《け》がひどいので、もしかして高山病《こうざんびょう》かなと思《おも》いなおしたが、いずれにしろ体調《たいちょう》が悪《わる》ければツアーコンダクターがぼくの登山《とざん》を中《ちゅう》止《し》させることは決《き》まっている。「高山病《こうざんびょう》が出《で》た方《かた》は危険《きけん》なので下《お》りてもらいます」と、ぼくらは前《まえ》もって注意《ちゅうい》されていた。

だが、ぼくはぜひともキリマンジャロ登山《とざん》を成功《せいこう》させたかった。ここで帰《かえ》るわけにはいかない。じゃ、どうするか。やることは、ただ一つ。高山病《こうざんびょう》にかかっていないフリをすることだ。ぼくは胸《むね》がむかむかしてくると、一人岩《ひとりいわ》かげに行《い》ってげぇげぇはいた。そして、そしらぬ顔《かお》でみんなといっしょに前《まえ》に進《すす》んでいった。

ところが、三十代《だい》のある客《きゃく》が朝方《あさがた》、高山病《こうざんびょう》で急死《きゅうし》するということが起《お》こった。ぼくはびびった。それでも、頭痛薬《ずつうやく》の錠剤《じょうざい》をかじりながらなんとか体調《たいちょう》の悪《わる》さをごまかそうとした。だが、だめだ。食《た》べた物《もの》をみんなはいてしまう。頭《あたま》はがんがん、胸《むね》はむかむか、手足《てあし》や顔《かお》がむくんできて、最悪《さいあく》だ。でも、ぼくは下《お》りたくなかった。必死《ひっし》に歯《は》をくいしばって進《すす》んだ。

とうとうぼくはごまかし通《とお》した。気《き》がつくと、キリマンジャロの頂上《ちょうじょう》に着《つ》いていた。

いま思《おも》えば、若《わか》さゆえの無知《むち》だったからできたことで、思《おも》い返《かえ》すと、背《せ》すじが寒《さむ》くなるほどの無謀行為《むぼうこうい》。でも、そんなにしてまでぼくは登《のぼ》りたかったのだ。

モンブランに続《つづ》き、キリマンジャロ登頂《とうちょう》にも成功《せいこう》したのだ。

5　五大陸最高峰登頂《たいりくさいこうほうとうちょう》をめざして

そのころ、ぼくの頭《あたま》の中《なか》は山《やま》のことでいっぱいだったが、もう一つ、純子《じゅんこ》のことも気《き》になっていた。ぼくは彼女《かのじょ》が好《す》きだった。彼女《かのじょ》の方《ほう》はどうだったんだろう？　それははっきりとはわからない。彼女自身《かのじょじしん》がぼくを好《す》きだといったわけでもないから。でも、ぼくと似《に》たような気持《きも》ちでいたんじゃないだろうか？　でも、それはよくわからない。

キリマンジャロに行《い》く前《まえ》だった。そのころぼくと彼女《かのじょ》とはこっそり交換日記《こうかんにっき》のやりとりをしていたのだが、それが先生《せんせい》に見《み》つかって、ぼくたちの交際《こうさい》が職員会議《しょくいんかいぎ》で問題《もんだい》になった。

いまから考《かんが》えると、ずいぶん古《ふる》くさくておかたい学校《がっこう》だといえるけど、当時《とうじ》のイギリスの、良家《りょうけ》の子《こ》たちが通《かよ》う日本人学校《じんがっこう》には、こんな校風《こうふう》がまだまだ残《のこ》っていたのだ。

ぼくは、なんてくだらないことを問題《もんだい》にするんだと思《おも》って、学校《がっこう》に対《たい》してむしょうに腹《はら》が立《た》った。

だけど、ぼくはそういう学校《がっこう》に行《い》って寄宿舎生活《きしゅくしゃせいかつ》をしている生徒《せいと》であり、しかもそこでは勉強《べんきょう》のできない「落《お》ちこぼれ」であり、一方《いっぽう》の彼女《かのじょ》はこれから受験《じゅけん》していい大《だい》学《がく》に進学《しんがく》しようとする優等生《ゆうとうせい》の生徒《せいと》であることはまちがいなかった。学校《がっこう》としては、このまま二人《ふたり》が交際《こうさい》を続《つづ》けると、彼女《かのじょ》は大学受験《だいがくじゅけん》に失敗《しっぱい》する可能性《かのうせい》があると判断《はんだん》したようだ。劣等生《れっとうせい》の野口《のぐち》が優等生《ゆうとうせい》の進路《しんろ》のじゃまをするなんてとんでもないというわけだ。勉強《べんきょう》のじゃまにしかならないものとして男女交際《だんじょこうさい》を禁止《きんし》していた学校《がっこう》としては、そういう考《かんが》え方《かた》でおし通《とお》すしかないのかもしれない。

ぼくは、先生《せんせい》から、

「つきあいをやめろ！　それが彼女《かのじょ》のためだ！」

といわれた。

しかたなくひきさがる気持《きも》ちになった自分《じぶん》をいまでも腹立《はらだ》たしく思《おも》って、なんともいえない複雑《ふくざつ》な気持《きも》ちになる。

彼女《かのじょ》に山《やま》を見《み》せたかったな。彼女《かのじょ》と二人《ふたり》で真《ま》っ白《しろ》な雪《ゆき》が頂《いただき》にある山《やま》を並《なら》んで見《み》たかった。立教英国学院《りっきょうえいこくがくいん》などという学校《がっこう》の生徒《せいと》であることを忘《わす》れて、受験《じゅけん》も成績《せいせき》も忘《わす》れて、落《お》ちこぼれであることも、おじょうさんであることも忘《わす》れて、身《み》につけているレッテルなんかきれいさっぱりみんな忘《わす》れてしまって、ただ真《ま》っ白《しろ》で美《うつく》しい山《やま》を、ぼんやり二人《ふたり》で見《み》つめている。「まぁきれい！」「きれいだね！」といいあって、静《しず》かで大《おお》きな山《やま》だけを二人《ふたり》なかよく見《み》ている……。

そういうことにはならなかったのだ。現実《げんじつ》には、先生《せんせい》から注意《ちゅうい》を受《う》けた彼女《かのじょ》はぼくをさけるようになったし、ぼくもなんとなく彼女《かのじょ》から遠《とお》ざかっていった。

気《き》がついた時《とき》、ぼくは大好《だいす》きな彼女《かのじょ》と別《わか》れていた。

そうした事情《じじょう》もあって、ぼくは、キリマンジャロ登山《とざん》にぜひとも成功《せいこう》してみんなにぼくという存在《そんざい》をわかってもらいたいという思《おも》いでいっぱいだったのだ。

イギリスに帰《かえ》ってきたぼくは、そのころ写真部《しゃしんぶ》に入《はい》っていたので、自分《じぶん》で写《うつ》したモンブランとキリマンジャロの写真《しゃしん》を校内写真展《こうないしゃしんてん》で発表《はっぴょう》した。写真《しゃしん》には登頂成功者《とうちょうせいこうしゃ》のぼ

く が写《うつ》っていた。

「すげえーっ!」

「野口《のぐち》って、やるんだな!」

「キリマンジャロに登《のぼ》ったとはね!」

ぼくは校内《こうない》で有名《ゆうめい》になっていった。ぼくを見《み》るみんなの目《め》が変《か》わってきた。先生《せんせい》たちさえ、ぼくを見《み》る目《め》が変《か》わった。

キリマンジャロという山《やま》は、モンブランよりはるかに強《つよ》いイメージをみんなにうえつけるようだった。『キリマンジャロの雪《ゆき》』(ヘミングウェイ著《ちょ》)という小説《しょうせつ》などもあり、ヨーロッパでは、キリマンジャロははるかな未知《みち》の場所《ばしょ》にそびえ立《た》つ大《おお》いなる野生《やせい》の山《やま》といったイメージがあるみたいだった。

イギリス人《じん》の英語《えいご》の先生《せんせい》が、ぼくに、英語《えいご》の授業《じゅぎょう》でキリマンジャロの話《はなし》を生徒《せいと》たちに聞《き》かせてやってほしいとたのんできた時《とき》はおどろいた。先生《せんせい》をはじめ生徒《せいと》たちが、目《め》をかがやかせてぼくの話《はなし》に聞《き》き入《い》るすがたに、思《おも》わずぼくもほこらしげな気持《きも》ちになって、おおげさな身《み》ぶり手《て》ぶりでしゃべっていた。

山《やま》に登《のぼ》るということが、これほどみんなにアピールするとはぼくは思《おも》わなかった。ぼくはうれしくなった。みんなにみとめられるということは、人間《にんげん》をのびのびさせるところがあるようだ。以前《いぜん》はなにかと暗《くら》く考《かんが》えがちだったが、ぼくは明《あか》るく考《かんが》えられるようになってきた。

だが、高校《こうこう》三年生《ねんせい》になると、ふたたび「落《お》ちこぼれ」の自分《じぶん》を感《かん》じざるをえなくなった。クラスのみんなは、大学受験《だいがくじゅけん》をめざしてまっしぐらに進《すす》んでいる。彼《かれ》らの頭《あたま》の中《なか》には、日本に帰《かえ》ってから進《すす》むべき人生《じんせい》の形《かたち》がしっかり描《えが》かれているみたいだった。それにくらべると、ぼくはやはり中途《ちゅうと》はんぱな人間《にんげん》だった。

ぼくだって、翌年《よくねん》は日本に帰《かえ》ることになっていた。イギリスに残《のこ》って落第生《らくだいせい》を続《つづ》けるわけにはいかなかった。ぼくも日本に帰《かえ》って、やがては自立《じりつ》してオトナとして生《い》きていかなければならない。ぼくはもうそういう時期《じき》にさしかかっていたのだ。では、どうしたらいいのか。勉強《べんきょう》のできないぼくは、いい考《かんが》えがうかばなくて、行《い》きづまっていた。

ある日《ひ》、担任《たんにん》の先生《せんせい》がぼくにいった。

「野口《のぐち》。亜細亜大学《あじあだいがく》に一芸一能入試《いちげいいちのうにゅうし》という入試《にゅうし》があるんだ。野口《のぐち》はそれを受《う》けたらどうだ？」

「一芸一能入試《いちげいいちのうにゅうし》？」

「一芸《いちげい》にひいでていれば、合格《ごうかく》させるっていう新《あたら》しい入試制度《にゅうしせいど》だ。亜細亜大学《あじあだいがく》はなかなか進《すす》んでる大学《だいがく》なんだ。勉強《べんきょう》ができなくても、特異《とくい》な能力《のうりょく》を持《も》つ者《もの》は受《う》け入《い》れようじゃないか、という方針《ほうしん》みたいだ。登山《とざん》しか能《のう》のない野口《のぐち》にぴったりじゃないか！」

「ひどい！　登山《とざん》しか能《のう》がないなんて！　でも、ほんとのことだけど……アハハハ……。」

「ワッハッハ。登山《とざん》で大学《だいがく》に行《い》く。これは前代未聞《ぜんだいみもん》だよ。」

「あ、それ、いいですね。サンキューです、先生《せんせい》。」

亜細亜大学《あじあだいがく》の一芸一能入試《いちげいいちのうにゅうし》は、書類審査《しょるいしんさ》と小論文試験《しょうろんぶんしけん》と面接試験《めんせつしけん》で行《おこな》われることがわかった。そこに勉強《べんきょう》の試験《しけん》がまったくなかった。これはラッキーだと思《おも》った。

面接《めんせつ》は日本で受《う》けた。面接《めんせつ》では自分《じぶん》がどんなに特異《とくい》な能力《のうりょく》があるかということを面接官《めんせつかん》にうったえなければならない。ぼくは本番《ほんばん》の面接試験《めんせつしけん》でこういったのだ。

「ぼくはモンブランとキリマンジャロ登頂《とうちょう》にすでに成功《せいこう》しています。もしも亜細亜大学《あじあだいがく》に入学《にゅうがく》できたあかつきには、大学《だいがく》にいる間《あいだ》に世界《せかい》七大陸《たいりく》の最高峰《さいこうほう》に必《かなら》ず登《のぼ》ってみせます。」

登山《とざん》を始《はじ》めて二年《ねん》ほどしかたっていない者《もの》が、こんな大胆《だいたん》なことを発言《はつげん》したのだ。ほらふきだととられてもしかたがない。

しかし、ぼくは本気《ほんき》だった。キリマンジャロ登頂《とうちょう》に成功《せいこう》した直後《ちょくご》、植村直己《うえむらなおみ》さんを尊敬《そんけい》していたぼくは、植村《うえむら》さんがキリマンジャロの次《つぎ》に南米大陸最高峰《なんべいたいりくさいこうほう》のアコンカグアを登《のぼ》っていたので、ぼくも次《つぎ》はアコンカグアかなあと思《おも》いながら、ゆくゆくは植村《うえむら》さんのように世界《せかい》のすべての大陸最高峰《たいりくさいこうほう》を登《のぼ》ってみたいと思《おも》ったのだ。

もう少《すこ》し別《べつ》のいい方《かた》があったかなと思《おも》っていると、合格通知《ごうかくつうち》がきた。

ぼくは立教英国学院《りっきょうえいこくがくいん》を卒業《そつぎょう》して、日本に帰《かえ》ることができた。

いま思《おも》い返《かえ》してみると、立教英国学院《りっきょうえいこくがくいん》の規律《きりつ》のきびしさがなつかしく感《かん》じられる。その時《とき》はわからなかったが、立教英国学院《りっきょうえいこくがくいん》のちゃんとした教育方針《きょういくほうしん》は、ぼくに欠《か》けていたところをきたえなおして、自立心《じりつしん》を育《そだ》ててくれたようだ。もしもあまい学校《がっこう》に入《はい》っていたならば、ぼくは登山《とざん》の道《みち》に進《すす》んでも、途中《とちゅう》で投《な》げだしていたかもしれない。社会《しゃかい》のきびしさも山《やま》のきびしさも同《おな》じことだ。きびしさが人間《にんげん》に自分《じぶん》の進《すす》むべき道《みち》をはっきりと教《おし》え、たくましく大《おお》きく育《そだ》ててくれるように思《おも》うのだ。

大学《だいがく》の学生《がくせい》としての生活《せいかつ》が始《はじ》まった。亜細亜大学《あじあだいがく》には山岳部《さんがくぶ》があり、ぼくは山岳部《さんがくぶ》の一員《いちいん》となった。ぼくは思《おも》いきり山登《やまのぼ》りに青春《せいしゅん》をかければいいことになった。めざすは世界《せかい》七大陸最高峰登頂《たいりくさいこうほうとうちょう》、それも最年少記録《さいねんしょうきろく》であった。その時点《じてん》では、アメリカの二十七歳《さい》の登山家《とざんか》が最年少《さいねんしょう》の記録保持者《きろくほじしゃ》だった。

大学《だいがく》一年生《ねんせい》の夏休《なつやす》み、ぼくはまず、山岳部《さんがくぶ》のなかまといっしょにオーストラリア大《たい》陸最高峰《りくさいこうほう》のコジウスコ（標高《ひょうこう》二二三〇メートル）をめざした。

コジウスコは七大陸最高峰《たいりくさいこうほう》の中《なか》で最《もっと》もかんたんに登《のぼ》れる山《やま》だったので、楽勝《らくしょう》で登頂《とうちょう》に成功《せいこう》した。

オーストラリアから日本にもどると、ぼくはつぎの登山《とざん》をめざして、アルバイトを始《はじ》めた。登山《とざん》にかかる費用《ひよう》は自分《じぶん》でかせぎださなければならなかった。外国《がいこく》に出《で》かけ

世界《せかい》七大陸最高峰《たいりくさいこうほう》と野口健最年少制覇《のぐちけんさいねんしょうせいは》の記録《きろく》

モンブラン／4808m……………………ヨーロッパ大陸《たいりく》
1989年8月　16歳《さい》

＊エルブルース／5642m………………ヨーロッパ大陸《たいりく》
（エルブルースはソ連崩壊後ヨーロッパ 大陸最高峰となった）
1996年1月　22歳《さい》

キリマンジャロ／5895m………………アフリカ大陸《たいりく》
1989年12月　17歳《さい》

コジウスコ／2230m……………………オーストラリア大陸《たいりく》
1992年9月　19歳《さい》

アコンカグア／6960m…………………南米大陸《なんべいたいりく》
1992年12月　19歳《さい》

マッキンリー／6194m…………………北米大陸《ほくべいたいりく》
1993年6月　19歳《さい》

ビンソン・マシフ／4897m……………南極大陸《なんきょくたいりく》
1994年12月　21歳《さい》

エベレスト／8848m……………………アジア大陸《たいりく》
1999年5月　25歳《さい》

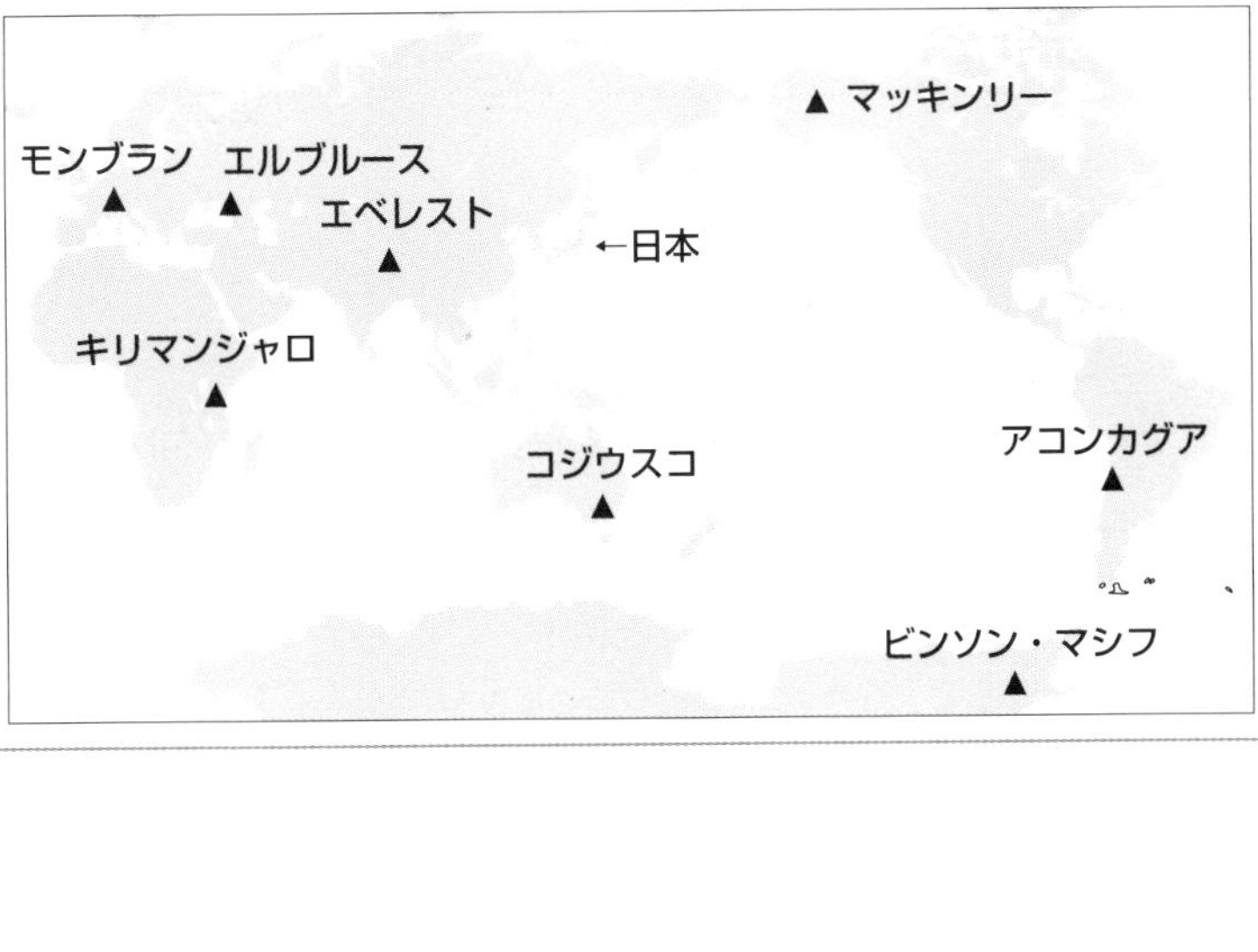

ていって登山《とざん》をするにはお金《かね》がたくさん要《い》る。ぼくは毎日《まいにち》アルバイトをして、かせぎまくった。

その年《とし》の十二月《がつ》、ぼくは南《みなみ》アメリカ大陸《たいりく》の最高峰《さいこうほう》、チリのアンデス山脈《さんみゃく》のアコンカグア（標高《ひょうこう》六九六〇メートル）の登頂《とうちょう》に成功《せいこう》した。キリマンジャロより高《たか》い山《やま》なので、高山病《こうざんびょう》を警戒《けいかい》して、じょじょに体《からだ》を高度《こうど》にならしながら登《のぼ》って、最後《さいご》はやはり食《た》べたものをはいてしまったが、なんとか登《のぼ》りきることができた。

アコンカグアを登《のぼ》った時点《じてん》で、ぼくの胸《むね》にひそかな夢《ゆめ》がわいた。十代《だい》のうちに、七大陸最高峰登頂《たいりくさいこうほうとうちょう》の前《まえ》にまず五大陸最高峰登頂《たいりくさいこうほうとうちょう》を成功《せいこう》させておきたいという夢《ゆめ》だ。その夢《ゆめ》の最大《さいだい》の難関《なんかん》がマッキンリーだった。

北《きた》アメリカ大陸《たいりく》の最高峰《さいこうほう》であるマッキンリーは、標高《ひょうこう》六一九四メートル、高《たか》さも高《たか》い。だがそれよりなにより、きびしい自然環境《しぜんかんきょう》のために登《のぼ》るのがむずかしいことで有《ゆう》名《めい》な山《やま》だ。しかもぼくは、マッキンリー単独登頂《たんどくとうちょう》（一人《ひとり》で登《のぼ》ること）を計画《けいかく》していた。植村直己《うえむらなおみ》さんが、一九七〇年《ねん》にやはり単独登頂《たんどくとうちょう》でマッキンリーに登《のぼ》って世界《せかい》五大陸《たいりく》最《さい》高峰登頂《こうほうとうちょう》を成功《せいこう》させていたからだった。けれども、植村《うえむら》さんは二度目《どめ》のマッキンリー登頂《とうちょう》を冬《ふゆ》に計画《けいかく》して世界初《せかいはつ》の冬季単独登頂《とうきたんどくとうちょう》を成功《せいこう》させたのだが、成功《せいこう》した次《つぎ》の日《ひ》、行《ゆく》方《え》不明《ふめい》になって亡《な》くなってしまっていた。そんな植村《うえむら》さんの無念《むねん》の思《おも》いがこもっている山《やま》こそマッキンリーだった。植村《うえむら》さんを尊敬《そんけい》していたぼくは、植村《うえむら》さんの後《あと》に続《つづ》きたかった。だから単独《たんどく》でぜひとも登《のぼ》りたかったのだ。

しかし、ベテランの登山家《とざんか》なら、マッキンリーがどれほどきびしい山《やま》であるかをよく知《し》っている。そのころぼくは有名《ゆうめい》な登山《とざん》グループにも入会《にゅうかい》していたのだが、山岳会《さんがくかい》の人《ひと》たちは、ぼくの単独登頂《たんどくとうちょう》の計画《けいかく》を聞《き》くとだれもみんなこういった。

「必《かなら》ず死《し》ぬぞ！」

「やめろ！　死《し》にに行《い》くようなものだ！」

ぼくだって山岳会《さんがくかい》のベテランであったなら、やっぱりそういうかもしれない。単独《たんどく》なんかやめろってね。でも、ぼくはやめなかった。ぼくは行《い》くことに決《き》めた。自信《じしん》があったわけじゃないけど、どうしても行《い》きたかったのだ。

問題《もんだい》が一つあった。マッキンリーは自由《じゆう》に登《のぼ》ることができる山《やま》ではなく、アラスカの国立公園《こくりつこうえん》の中《なか》にある山《やま》として、登《のぼ》るには許可《きょか》が必要《ひつよう》だった。しかも安全重視《あんぜんじゅうし》のため

「単独登頂《たんどくとうちょう》は規則違反《きそくいはん》」と決《き》められているという。

植村《うえむら》さんも最初《さいしょ》は許可《きょか》されなかったが、あまりの熱心《ねっしん》さに負《ま》けて公園長《こうえんちょう》が特別《とくべつ》に書類《しょるい》を「アメリカ隊《たい》の一員《いちいん》」としてうまく書《か》いてくれたので、単独《たんどく》で登《のぼ》ることができたのだ。ぼくは必死《ひっし》で許可《きょか》を取《と》るいい方法《ほうほう》はないかと考《かんが》えた。が、アラスカは社会規則《しゃかいきそく》にはきびしい州《しゅう》なので、特別《とくべつ》にぼくだけ許可《きょか》がおりるわけがない。こまっていたところ、山岳会《さんがくかい》の先輩《せんぱい》である大蔵喜富《おおくらよしとみ》さんが助《たす》けてくれた。大蔵《おおくら》さんは毎年《まいとし》マッキンリーで気象観測《きしょうかんそく》をしているので、大蔵《おおくら》さんと同行《どうこう》するということで許可《きょか》をもらうことができたのだ。

大学《だいがく》二年生《ねんせい》の夏《なつ》、ぼくはアラスカに着《つ》き、マッキンリーめざして進《すす》みだした。大蔵《おおくら》さん一行《いっこう》といっしょに出発《しゅっぱつ》し、単独《たんどく》にこだわったぼくは山《やま》の中《なか》で別行動《べっこうどう》することにした。見《み》わたすかぎり真《ま》っ白《しろ》な氷河《ひょうが》の上《うえ》をスキーを使《つか》ってひたすら進《すす》んでいく。スキーは初《はじ》めてだったが、なんとかこなした。

マッキンリーは、たしかにきびしい山《やま》だった。雪《ゆき》が降《ふ》りだすと、どこがどこだか、わからなくなってくる。そんな中《なか》を何日《なんにち》も進《すす》んでいかなければならないのだ。たしかにひとりぼっちの冒険《ぼうけん》の極限《きょくげん》だった。

アッと思《おも》った時《とき》、ぼくはクレバスに落《お》ちていた。

助《たす》かったのは、植村《うえむら》さんがやったように長《なが》い竹《たけ》ざおを腰《こし》につけていたからだ。植村《うえむら》さんの方法《ほうほう》がぼくを守《まも》ってくれたのだ。竹《たけ》ざおが間一髪《かんいっぱつ》でクレバスの入《い》り口《ぐち》に引《ひ》っかかって、ぼくの落下《らっか》を食《く》い止《と》めてくれていた。

ぼくは宙《ちゅう》ぶらりん状態《じょうたい》だった。どうやってはいあがったのか、まったく記憶《きおく》がない。気《き》がついたら、ぼくはピッケルを使《つか》って上《うえ》にはいあがっていた。むがむちゅうで体《からだ》を動《うご》かしたのだろう。

ぼくは助《たす》かった。死《し》ぬところだった。でも助《たす》かってまわりを見《み》まわしても、雪《ゆき》と氷《こおり》だけだった。死《し》のうと、助《たす》かろうと、そこにはだれもいないのだ。死《し》のうと、助《たす》かろうと、まわりは一切関係《いっさいかんけい》ないのだ。一面《めん》の氷《こおり》と雪《ゆき》の世界《せかい》の中《なか》で、ぼくは自分《じぶん》の「命《いのち》」のふしぎさを心底味《しんそこあじ》わった。そしてその時《とき》、ぼくは死《し》ななくて、まさしく生《い》きていたのだ。オーッとけもののようにさけびたい気持《きも》ちだった。

ふたたび歩《ある》きだすと、雪《ゆき》がやんで、空《そら》が晴《は》れてきた。青空《あおぞら》が見《み》えてきた。なんという青《あお》さだ。夢《ゆめ》のような天気《てんき》の変《か》わりようだ。ふと足《あし》もとを見《み》ると、ころころしたものが落《お》ちている。手《て》に取《と》ると、それは小鳥《ことり》の死《し》がいだった。

鳥《とり》はかちんかちんにこおって目《め》をつむっていた。それを見《み》つめていると、ふと自分《じぶん》もこのように死《し》ぬのかなと思《おも》った。死《し》んでもしかたないと思《おも》った。それくらい、あたりは静《しず》けさだけのひっそりした世界《せかい》だった。ぼくはその鳥《とり》を豆粒《まめつぶ》の点《てん》のように感《かん》じた。ぼくだって、いま点《てん》にすぎなかった。すべてがちっぽけな点《てん》にすぎなかった。ぼくは青《あお》い青《あお》い空《そら》を見上《みあ》げて、なんだかしみじみとすきとおった世界《せかい》を感《かん》じていた。美《うつく》しくて透明《とうめい》な気持《きも》ちにおそわれていた。

その時《とき》ぼくは何《なに》か大事《だいじ》なことを発見《はっけん》したような気《き》がして感動《かんどう》していた。日《ひ》ごろの悩《なや》みや、いろいろなつらさ、さまざまなコンプレックス、そんなものはじつにちっぽけなことであるにすぎないということがわかったのだ。すべては点《てん》だ。点《てん》にすぎないのだ。点《てん》にすぎないということが社会《しゃかい》の中《なか》にいるとわからなくなってくるのだ。だが、ここにくればわかるのだ。

べつにマッキンリーまでこなくたっていい。悩《なや》みをかかえる者《もの》は、一度《ど》どこかの山《やま》に行《い》ってみたらいい。すると、日《ひ》ごろ悩《なや》んでいたことがちっぽけで取《と》るにたらないことだってことがよくわかる。「引《ひ》きこもり」も「落《お》ちこぼれ」も、たいしたことのない話《はなし》だ。山《やま》にくれば、鳥《とり》だって、シカだって、人《ひと》だって、みんな同《おな》じで、ただいっしょうけんめい生《い》きているだけだ。

悩《なや》みがすべて消《き》えて真《ま》っ白《しろ》にあらいながされる瞬間《しゅんかん》があるのだ。ぼくは明《あか》るい光《ひかり》をあびながらふたたび歩《ある》きだした。生《い》きている喜《よろこ》びでいっぱいだった。生《い》きて、動《うご》いて、前《まえ》に進《すす》めるということは、なんとすばらしいことだろう。

ぼくはもうぜんと進《すす》んだ。そうして合計十日《ごうけいとおか》ほどをついやして、とうとうマッキンリーの頂上《ちょうじょう》にたどりついた。

十代《だい》で五大陸最高峰登頂《たいりくさいこうほうとうちょう》に成功《せいこう》したのだ。

6　世界《せかい》一登《のぼ》るのがむずかしい山《やま》

その後《ご》、ぼくは二十一歳《さい》の時《とき》、南極大陸最高峰《なんきょくたいりくさいこうほう》のビンソン・マシフ（標高《ひょうこう》四八九七メートル）に登《のぼ》ることに成功《せいこう》した。

二年後《ねんご》、ソ連崩壊後《れんほうかいご》モンブランにかわってヨーロッパ大陸最高峰《たいりくさいこうほう》となったロシアのエルブルース（標高《ひょうこう》五六四二メートル）を登《のぼ》ることに成功《せいこう》した。

世界《せかい》七大陸最高峰登頂《たいりくさいこうほうとうちょう》には、残《のこ》すところは後《あと》一つ、世界《せかい》一高《たか》い山《やま》エベレストだけとなった。その時《とき》、ぼくは二十二歳《さい》。七大陸最高峰登頂最年少記録《たいりくさいこうほうとうちょうさいねんしょうきろく》は二十七歳《さい》であったから、ぼくはいずれ世界新記録《せかいしんきろく》を達成《たっせい》できると思《おも》っていた。世界《せかい》で七つの山《やま》のうち六つをやっつけたのだ。七つ目《め》は時間《じかん》の問題《もんだい》だと思《おも》っていた。

だが、ぼくはエベレストという山《やま》がどれほどおそろしい山《やま》であるかを知《し》らなかったのだ。

ふつうの山《やま》は現地《げんち》に着《つ》いてから一週間《しゅうかん》ほどで登《のぼ》るのだが、エベレストはちがう。二か月《げつ》かかる。八八四八メートルというあまりの高《たか》さのために、じょじょに体《からだ》をならしながら登《のぼ》る方法《ほうほう》しかないからだ。一気《いっき》に登《のぼ》ったらたちまち高山病《こうざんびょう》にかかって死《し》んでしまうのだ。

ヒマラヤ山脈《さんみゃく》の最高峰《さいこうほう》であるエベレストは、チベット側《がわ》からの登頂《とうちょう》と、ネパール側《がわ》からの登頂《とうちょう》と、登《のぼ》るのに二つのルート（道《みち》すじ）を持《も》つ。山《やま》のよび方《かた》も現地《げんち》では二つあって、チベット語《ご》では「チョモランマ（大地《だいち》の母《はは》）」、ネパール語《ご》では「サガルマータ（世界《せかい》の頂上《ちょうじょう》）」と古《ふる》くからよばれている。エベレストという名《な》は、イギリス人《じん》の測《そく》量局長官《りょうきょくちょうかん》であったジョージ・エベレストが十九世紀《せいき》の半《なか》ばに、新《あら》たに発見《はっけん》した山《やま》としてつけた名前《なまえ》だった。

頂上《ちょうじょう》にいたるまでにいくつかのベースキャンプ（中継基地《ちゅうけいきち》）があり、一つ一つベースキャンプをたどっていって、最終《さいしゅう》キャンプから一気《いっき》に一日《にち》で山頂《さんちょう》まで登《のぼ》るのだ。最《さい》初《しょ》のベースキャンプでも約《やく》五千《せん》メートルの高《たか》さがある。ふもとの場所《ばしょ》から第《だい》一ベースキャンプにたどり着《つ》くのにも、酸素《さんそ》の少《すく》ない高地《こうち》にだんだん体《からだ》をならしてそこへいかなければならないというたいへんさなのだ。

何日《なんにち》もかけて登《のぼ》るために、食料《しょくりょう》や道具《どうぐ》やいろいろ荷物《にもつ》も持《も》っていかなければならない。その荷物《にもつ》を運《はこ》ぶために（また案内役《あんないやく》もつとめてくれる）シェルパとよばれる高地《こうち》民族《みんぞく》の現地人《げんちじん》をやとわなければならない。シェルパの手助《てだす》けなしでは、一人《ひとり》でエベレストに登《のぼ》ることなどできない。

エベレストに登《のぼ》るためには、お金《かね》が数百万円《すうひゃくまんえん》もかかる。お金《かね》を持《も》っていないぼくとしては、まずお金《かね》を出《だ》してくれるスポンサー（広告的価値《こうこくてきかち》を見《み》こんでお金《かね》を出《だ》す企業《きぎょう》）をさがさなければならなかった。

エベレストに登《のぼ》るためにトレーニングしたり、いろいろ準備《じゅんび》したりすることもたいへんだったが、スポンサーを見《み》つけることにくらべたらたいしたことではないといえるかもしれない。スポンサーがお金《かね》を出《だ》してくれなかったら、エベレスト登頂《とうちょう》の夢《ゆめ》はまたたく間《ま》に消《き》えてしまうのだ。ぼくは必死《ひっし》でそれをやったのだが、意外《いがい》なことがわかってきて、ぼくにとっては大事《だいじ》な体験《たいけん》となった。山《やま》の体験《たいけん》も貴重《きちょう》だが、世《よ》の中《なか》の体《たい》験《けん》も貴重《きちょう》なのだ。

ぼくはいろいろ会社《かいしゃ》を回《まわ》ってみたけど、最初《さいしょ》はこんなふうにいわれた。

「野口健《のぐちけん》？　そりゃなんだ？　どうしてわが社《しゃ》がきみの登山《とざん》のために金《かね》を出《だ》さなきゃならんのだ？　話《はなし》にならん。帰《かえ》りたまえ！」

ぼくはすごすごと帰《かえ》るほかはなかった。そんなことを繰《く》り返《かえ》すうちに、ぼくは他人《たにん》にアピールする大切《たいせつ》さを知《し》った。自分《じぶん》がどう思《おも》うかも大事《だいじ》だけど、他人《たにん》がどう思《おも》うか、他人《たにん》にどう思《おも》われるかも大事《だいじ》なことなのだ。なぜなら、ぼくらはみんなでいっしょに生《い》きているからだ。みんなで集《あつ》まって社会《しゃかい》を作《つく》っているからだ。そして自分一人《じぶんひとり》の力《ちから》でできることは案外少《あんがいすく》なく、案外《あんがい》知《し》らない間《あいだ》に他人《たにん》に助《たす》けられたりして生《い》きているのだ。ぼくだって、植村《うえむら》さんや岩崎《いわさき》さんや大蔵《おおくら》さん、そのほか多《おお》くの仲間《なかま》がいたおかげで、ここまでやってこられたのだ。だから、他人《たにん》にわかるように自分《じぶん》のことを伝《つた》えて、他人《たにん》といい関係《かんけい》を作《つく》ることは大事《だいじ》なことなのだ。

そういうことを改《あらた》めてぼくは考《かんが》えさせられた。ぼくはだんだん、相手《あいて》の会社《かいしゃ》のことを考《かんが》えながら、相手《あいて》によくわかるように話《はな》して、自分《じぶん》のことをアピールするようになった。

するとふしぎなことに、こんなことをいってくれるスポンサーが現《あらわ》れたのだ。

「野口《のぐち》くん。きみにはオーラがある。きみのやろうとしていることはおもしろい。おうえんするよ。」

スポンサーさがしを通《とお》して知《し》ったことは、いっしょうけんめいアピールを続《つづ》けていれば、必《かなら》ず自分《じぶん》をみとめてくれる人《ひと》が現《あらわ》れてくるということだった。

そうして一九九七年《ねん》の初《はじ》め、その時《とき》二十三歳《さい》だったぼくは、大学《だいがく》の山岳部《さんがくぶ》の仲間《なかま》といっしょに国際公募隊《こくさいこうぼたい》＊に参加《さんか》しながらエベレストに登《のぼ》ろうとした。チベット側《がわ》から登《のぼ》る計画《けいかく》だった。

ネパールのカトマンズで高度《こうど》に体《からだ》をならすトレーニングをしてから、ぼくは五二〇〇メートルの高《たか》さの最初《さいしょ》のベースキャンプに着《つ》いた。国際公募隊《こくさいこうぼたい》の隊長《たいちょう》のラッセルが笑顔《えがお》でぼくらをむかえてくれた。ところが、イギリス人《じん》ラッセルは規律《きりつ》にきびしい人《ひと》で、ぼくの登山《とざん》のやり方《かた》とはいろいろ合《あ》わないことが起《お》こった。もめごとが起《お》こり、一時《いちじ》はどうなることかと思《おも》ったんだけど、やがておおごとにはならずにすんでほっとした。

世界各国《せかいかっこく》から登山家《とざんか》が集《あつ》まってくるエベレストという場所《ばしょ》は、みんなで仲良《なかよ》くやろうとする気持《きも》ちが必要《ひつよう》な場所《ばしょ》ともいえる。ラッセルとゴミについてのやりとりが後《のち》のぼくの活動《かつどう》に大《おお》きな影響《えいきょう》をあたえることになるのだが、その話《はなし》は後《あと》にしよう。

しかし、最初《さいしょ》のベースキャンプに着《つ》いたころから、ぼくの体調《たいちょう》が悪《わる》くなりはじめた。ベースキャンプにはいろいろなものが完備《かんび》していたのだが、お湯《ゆ》の出《で》るシャワー設《せつ》備《び》もついていたのにはおどろいた。ところが、喜《よろこ》んでそれを使《つか》ったところ、途中《とちゅう》でお湯《ゆ》が出《で》なくなって水《みず》に変《か》わったものだから、それが原因《げんいん》でかぜをひいてしまったのだ。

マイナス二〇度《ど》の高地《こうち》で、のどの痛《いた》みと、せきになやまされた。しかも、荷物《にもつ》を持《も》ちながらその上《うえ》のベースキャンプへと進《すす》もうとするうちに、疲労《ひろう》とひどいせきが影響《えいきょう》して肋骨《ろっこつ》が痛《いた》くなってきた。せきのための胃《い》けいれんさえ起《お》こってきた。医師《いし》の資格《しかく》を持《も》つニュージーランド人《じん》にみてもらうと、どうやら肋骨《ろっこつ》にヒビが入《はい》っているらしい。それでも前《まえ》へ進《すす》むと、クレバスをジャンプして越《こ》えようとした時《とき》、ボキッと音《おと》がした。オーッ。ものすごい痛《いた》みだった。後《あと》で日本に帰《かえ》って検査《けんさ》したら、肋骨《ろっこつ》が三本《ぼん》折《お》れていたのだった。

＊国際公募隊《こくさいこうぼたい》＝一般人《いっぱんじん》でも単独《たんどく》で応募《おうぼ》してグループで登《のぼ》ることができる国際的登山隊《こくさいてきとざんたい》。

それでもぼくは歩《ある》きつづけた。だが、ぼくの体調《たいちょう》が最悪《さいあく》であることはまちがいなかった。天候《てんこう》も悪《わる》くなり、吹雪《ふぶき》になった。めまいがした。手足《てあし》がしびれてきた。もうくたくただ。七九〇〇メートルの第《だい》三キャンプの手前《てまえ》で、ぼくはついに、今回《こんかい》はむりだと判断《はんだん》した。

失敗《しっぱい》だ。しかたがない。本当《ほんとう》のことだから、しかたがない。

冒険《ぼうけん》は生《い》きて帰《かえ》ってこなければ意味《いみ》がない。むりに進《すす》んで死《し》んでしまっては意味《いみ》がないのだ。死《し》にに行《い》くのではなく、生《い》きて冒険《ぼうけん》の喜《よろこ》びを実感《じっかん》するために行《い》くのだ。だから、死《し》んでしまったら意味《いみ》がない。生《い》きて帰《かえ》ることが最《もっと》も大事《だいじ》なことだ。ぼくはその時《とき》も思《おも》ったし、いまも心底《しんそこ》そう思《おも》う。

けれども「死《し》ぬか」「生《い》きるか」はここでは紙一重《かみひとえ》だった。おれは生《い》きて帰《かえ》るぞと出《で》かけていって、死《し》んでしまう者《もの》もいる。進《すす》むか、中止《ちゅうし》するか、その判断《はんだん》はむずかしい。だが、その判断《はんだん》をするのは、自分《じぶん》しかいないのだ。自分《じぶん》が決《き》めることだ。

実際《じっさい》、この時《とき》いっしょに登《のぼ》っていた登山隊《とざんたい》に多数《たすう》の死者《ししゃ》が出《で》ていた。カザフスタン隊《たい》は三人死亡《にんしぼう》。韓国隊《かんこくたい》はシェルパが死亡《しぼう》。単独登頂《たんどくとうちょう》をめざしていたドイツ人《じん》も、ぼくと笑顔《えがお》で話《はなし》を交《か》わしたインドネシア隊《たい》のピーターも死亡《しぼう》していた。きのうまで元気《げんき》に歩《ある》いていた人《ひと》が次《つぎ》の日《ひ》は死《し》んでいるのがエベレスト。エベレストはじつにおそろしい所《ところ》なのだ。

ぼくは夢《ゆめ》やぶれて日本に帰《かえ》ってきた。

だが、ぼくは生《い》きていた。生《い》きていたからこそ、ふたたび夢《ゆめ》を追《お》いかけることができた。

ぼくは再挑戦《さいちょうせん》の計画《けいかく》を立《た》て、体《からだ》をきたえはじめた。高所訓練《こうしょくんれん》もした。二か月間体調《げつかんたいちょう》を維持《いじ》できるような強《つよ》い体《からだ》にしておかなければならない。登山《とざん》のためにかかる費用《ひよう》も、スポンサーを見《み》つけて、なんとか用意《ようい》することができた。

失敗《しっぱい》して一年後《ねんご》の一九九八年秋《ねんあき》、ぼくはふたたびエベレストに向《む》かった。

今度《こんど》はネパール側《がわ》から登《のぼ》ることにした。四人《にん》のシェルパを連《つ》れてぼくは登《のぼ》りはじめた。

体調《たいちょう》はよかった。ほとんど計画《けいかく》どおりだった。これはいけるぞ。ぼくは確信《かくしん》した。

ところが、天気《てんき》が荒《あ》れてきた。エベレストに登《のぼ》るために必要《ひつよう》なのは、二か月間自分《げつかんじぶん》の体調《たいちょう》を維持《いじ》しなければならないことと、もう一つ、天候《てんこう》が維持《いじ》されなければならないことだ。維持《いじ》というのは正《ただ》しくない。ずっと天気《てんき》が良《よ》くても、最後《さいご》にアタックをかける（頂上《ちょうじょう》をめざす）時《とき》、天気《てんき》が悪《わる》ければそれで終《お》わりだ。またさほど天気《てんき》の良《よ》くない日《ひ》が続《つづ》いても、最後《さいご》のアタックの時《とき》に天気《てんき》が良《よ》ければ、登《のぼ》ることができるのだ。エベレストの天候《てんこう》は、じつに変《か》わりやすく、いままで晴《は》れていた空《そら》が暗《くら》くなって急《きゅう》にふぶいてくるといった調子《ちょうし》であてにできないのだ。

天気《てんき》はだれにも左右《さゆう》できない。それを決《き》めているのは、人間《にんげん》じゃなく、自然界《しぜんかい》の神《かみ》さまなのだ。

それでも、ぼくは標高《ひょうこう》八三五〇メートルの地点《ちてん》にまでたどり着《つ》いていた。頂上《ちょうじょう》まではあと五百《ひゃく》メートルの高《たか》さを残《のこ》すだけ。ところが、岩《いわ》かげにひそんでふきあれる吹雪《ふぶき》を見《み》ていると、エベレストが「もう降《お》りろ！」といっているような気《き》がした。目《め》の前《まえ》に「死《し》」が立《た》ちふさがっているのがわかった。くそーっ。くやしくてたまらなかったが、ぼくはだまって、ひきさがることにした。

冒険《ぼうけん》は生《い》きて帰《かえ》らなければ意味《いみ》がない。その時《とき》もぼくはそう思《おも》って、日本にもどってきたのだ。

エベレストをめざして二度《ど》の失敗《しっぱい》ということになった。そのころではぼくも少《すこ》しはマスコミで有名《ゆうめい》になっていたので、世間《せけん》では「野口健《のぐちけん》はエベレスト制覇《せいは》に二度《ど》も失敗《しっぱい》して、もうだめだ」ということになった。

お金《かね》を出《だ》してくれたスポンサーからも、「野口健《のぐちけん》は約束《やくそく》してくれたことをちっともやってくれないじゃないか、もういい」と、そっぽを向《む》かれてしまった。

だけど、ぼく自身《じしん》は、それはちがうと思《おも》っていた。そういう意見《いけん》は登山《とざん》の現実《げんじつ》を知《し》らないところからくる浅《あさ》はかな見方《みかた》だと思《おも》った。たとえば、マスコミは「制覇《せいは》」という言葉《ことば》をよく使《つか》って、「エベレスト制覇《せいは》」などと書《か》く。だけど、エベレストを体験《たいけん》した者《もの》としていうなら、エベレストを「制覇《せいは》」することなど、できはしないのだ。たとえエベレスト登頂《とうちょう》に「成功《せいこう》」しても次《つぎ》は「失敗《しっぱい》」するかもしれない。「成功《せいこう》」も「失《しっ》敗《ぱい》」も紙一重《かみひとえ》だ。「成功《せいこう》したから良《よ》く」「失敗《しっぱい》したから悪《わる》い」というようなことではない。たまたま「成功《せいこう》」し、たまたま「失敗《しっぱい》」したにすぎない。人間《にんげん》が自然《しぜん》を「制覇《せいは》」できるわけがない。自然《しぜん》はそれほど巨大《きょだい》で、おそれおおいものだ。あの雪《ゆき》や氷《こおり》や風《かぜ》やらを「制覇《せいは》」できるわけがないのだ。

ぼくが成功《せいこう》できなかった原因《げんいん》ははっきりしていた。一度目《どめ》は体調《たいちょう》が悪《わる》かった。二度《ど》目《め》は天候《てんこう》が悪《わる》かった。二回《かい》いろいろ体験《たいけん》してきたぼくは、天候《てんこう》にめぐまれさえすれば、今度《こんど》は必《かなら》ず成功《せいこう》するだろうという自信《じしん》があった。頭《あたま》の中《なか》に成功《せいこう》のイメージをえがくことができていた。

「二度《ど》失敗《しっぱい》したからって、それでもうダメとはならないんだよ。」

と、ぼくはみんなにいいたかった。

だけどいえなかった。冒険家《ぼうけんか》は行動《こうどう》で示《しめ》すしかないのだ。

ぼくはくちびるをかんで、だまって、三度目《どめ》の挑戦《ちょうせん》の用意《ようい》を始《はじ》めた。

なんとか準備《じゅんび》がととのって、翌年《よくねん》の一九九九年《ねん》五月《がつ》、ぼくは三たびエベレストに向《む》かった。ネパール側《がわ》から登《のぼ》る計画《けいかく》だった。

体《からだ》をならしてから、同行《どうこう》する四人《にん》のシェルパたちといっしょになった。出発《しゅっぱつ》の前《まえ》に、シェルパたちがぶつぶつ口《くち》の中《なか》でおまじないをとなえる。風《かぜ》がふいてくる。ぼくも風《かぜ》に向《む》かっておいのりをあげた。たしかに山《やま》の中《なか》で起《お》きるほとんどのことは、運《うん》が支配《しはい》している。だから謙虚《けんきょ》な気持《きも》ちでいのるしかないのだ。

（今度《こんど》もダメなんじゃないか……！）

おいのりをあげながら、ふと、ぼくは思《おも》った。

（こんなにすごい山《やま》はない。エベレストは最強《さいきょう》の山《やま》だ。もしダメだったら、どうしよう……？）

強気《つよき》の気持《きも》ちのうらに、弱気《よわき》がひそんでいることがある。ここまで強気《つよき》で一心《いっしん》にきたのに、ふっと、弱気《よわき》になることがある。人間《にんげん》の心《こころ》とはそんなものだ。

だが、その時《とき》ぼくは、その弱《よわ》い気持《きも》ちに向《む》かってしきりにいいきかせた。

（ダメとか、ダメじゃないとか、そんなことはどうだっていいじゃないか。おれはエベレストに登《のぼ》りたいんだ。ただそれだけだ。さあ、登《のぼ》ろうぜ！）

ぼくは出発《しゅっぱつ》した。計画《けいかく》どおりに進《すす》んでいった。そうして登山《とざん》は順調《じゅんちょう》にいくかに見《み》えた。

標高《ひょうこう》七九二五メートルの最終《さいしゅう》キャンプにとうとう着《つ》いた。ここからが、最大《さいだい》の難関《なんかん》になる。ここから夜中《よなか》に出発《しゅっぱつ》して、翌日《よくじつ》の午前中《ごぜんちゅう》に頂上《ちょうじょう》にたどりついて、そして夕方《ゆうがた》までにここにもどってこなければならないのだ。もどれなければ、それは「死《し》」を意《い》味《み》する。それ以外《いがい》にエベレストの登《のぼ》り方《かた》はないのだ。

さあ行《い》くぞ。ぼくはふるえるような気持《きも》ちで、全身《ぜんしん》に気合《きあい》を入《い》れた。

午後《ごご》十時《じ》すぎ、ぼくはサガルマータに向《む》かって歩《ある》きだした。あたりはまっ暗《くら》、ヘッドライトをつけて、氷雪《ひょうせつ》をふんで進《すす》んでいく。天気《てんき》はまあまあだ。

八〇〇〇メートルの高《たか》さでは、酸素《さんそ》が平地《へいち》の三分《ぶん》の一しかない。だから酸素《さんそ》ボンベを背中《せなか》にかついで、酸素《さんそ》をすいながら進《すす》んでいかなければならない。八〇〇〇メートルの場所《ばしょ》には岩《いわ》や氷《こおり》や雪《ゆき》しかない。生物《せいぶつ》や生命《せいめい》とはまったく無関係《むかんけい》の場所《ばしょ》だ。色《いろ》もにおいもない。静《しず》けさだけがある。まさに「死《し》」の場所《ばしょ》だ。

本当《ほんとう》に死体《したい》が転《ころ》がっていた。ヘッドライトでよく見《み》ると、登山《とざん》すがたの死体《したい》が雪《ゆき》におおわれている。ヒエーッとさけびそうになる。なんということだ。でも、このあたりでは、こんな風景《ふうけい》はざらだ。遭難《そうなん》したり事故《じこ》にあったりして死《し》んでしまっても、その死体《したい》をだれもどうすることもできないのだ。放置《ほうち》しておくほかない。放置《ほうち》された死《し》体《たい》はくさらず、雪《ゆき》にうまったりしてそのままそこに永遠《えいえん》に置《お》かれている。

氷《こおり》の壁《かべ》をロープを伝《つた》って、ひたすら登《のぼ》る。

サガルマータ最大《さいだい》の難所《なんしょ》のアイスフォール。はしごを3台《だい》つなげている。

こわい。でも、こわいと思《おも》って、前《まえ》に進《すす》めなくなったら、それで終《お》わりだ。自分《じぶん》が死《し》に近《ちか》づくだけだ。あまりの恐怖《きょうふ》で、気《き》が変《へん》になる人《ひと》もいる。自分《じぶん》からがけに身《み》を投《な》げる人《ひと》もいる。こんな「死《し》」の場所《ばしょ》を進《すす》んでいくためには、ものすごい勇気《ゆうき》と冷静《れいせい》さが要《い》るのだ。

くそーっ。行《い》け。行《い》け。自分《じぶん》にいいきかせながら、ぼくは進《すす》んでいった。

雪《ゆき》が深《ふか》くなった。腰《こし》ぐらいまである所《ところ》をかきわけるようにして進《すす》む。つかれる。ふと気《き》がつくと、ぼくはうつらうつらしていた。だめだ。ねむったら、それで終《お》わりだ。ぼくは思《おも》いっきり舌《した》をかんだ。血《ち》が出《で》るのがわかる。ピッケルで頭《あたま》をたたく。ようやく頭《あたま》がはっきりしてきた。

太陽《たいよう》がのぼってきたのがわかった。ぼうっと明《あか》るくなる。太陽《たいよう》はありがたい。太陽《たいよう》は生命《せいめい》の光《ひかり》だ。あったかい。やさしい。ありがとう。ありがとう。感謝《かんしゃ》したい気持《きも》ちになる。

やがて標高《ひょうこう》八八〇〇メートルのヒラリーステップとよばれる所《ところ》に着《つ》き、あと少《すこ》しとなった。ヒラリーステップは岩《いわ》と氷《こおり》の危険《きけん》な場所《ばしょ》で、たくさんの登山家《とざんか》が頂上《ちょうじょう》にあと

標高《ひょうこう》8000メートルを超《こ》え、きびしい条件《じょうけん》の中《なか》で登頂《とうちょう》をめざす。

1999年《ねん》5月《がつ》13日《にち》、午前《ごぜん》9時《じ》30分《ぷん》。ついにエベレスト登頂《とうちょう》に成功《せいこう》する。

一歩《ぽ》のこの場所《ばしょ》で足《あし》をすべらせたりして亡《な》くなっている。ぼくは気持《きも》ちをひきしめた。

そうして午前《ごぜん》九時《じ》三十分《ぷん》。ぼくはエベレストの頂《いただき》についに着《つ》いたのだ。

二メートル四方《しほう》ぐらいの広《ひろ》さだった。そこが地球上《ちきゅうじょう》で最《もっと》も高《たか》い八八四八メートルの場所《ばしょ》だった。

ぼくは胸《むね》がいっぱいになった。ウォーッ。ぼくはほえたくなった。ついにやったのだ。

その時《とき》ぼくは二十五歳《さい》。世界《せかい》七大陸《たいりく》最高峰《さいこうほう》登頂《とうちょう》の最年少《さいねんしょう》記録《きろく》を達成《たっせい》していた。

7　次《つぎ》は清掃登山《せいそうとざん》に挑戦《ちょうせん》だ

登山《とざん》から帰《かえ》ってくると、ふしぎな気持《きも》ちで街《まち》をながめている自分《じぶん》に気《き》づく。たとえば喫茶店《きっさてん》でコーヒーを飲《の》みながら、窓《まど》の外《そと》に広《ひろ》がる都会《とかい》の街《まち》のようすを四次元《じげん》の世界《せかい》の風景《ふうけい》のように見《み》ることがある。人々《ひとびと》が楽《たの》しそうにおしゃべりしながら生《い》きている。買《か》い物《もの》をしたり、おしゃれをしたり、クレープを食《た》べたり、思《おも》うがままに車《くるま》を走《はし》らせたりしている。

岩《いわ》と雪《ゆき》のヒマラヤ山脈《さんみゃく》をぬけだして都会《とかい》にやってくると、文明《ぶんめい》の中《なか》で暮《く》らしているふつうの人々《ひとびと》のことが、自由気《じゆうき》ままにぜいたくざんまいに暮《く》らす王様《おうさま》たちのように見《み》える。

ぼく自身《じしん》、王子様《おうじさま》の気分《きぶん》になる。おふろの湯《ゆ》わかし器《き》のスイッチをおすと、お湯《ゆ》が出《で》てきて、あたたかなふろに入《はい》ることができる。水道《すいどう》をひねれば、すぐきれいな水《みず》が出《で》てくる。部屋《へや》を明《あか》るく照《て》らす電気《でんき》。暖房設備《だんぼうせつび》。クーラー。なんてありがたいことだろう。感謝《かんしゃ》したくなる。ヒマラヤではお茶《ちゃ》一杯《ぱい》作《つく》るのに、氷河《ひょうが》の氷《こおり》をくだいて、ガスボンベを使《つか》って、とかしてわかして……どれだけの手間《てま》がかかるだろう。文明社会《ぶんめいしゃかい》に生《い》きるぼくらはめぐまれているのだ。

エベレスト登頂《とうちょう》を成功《せいこう》させて日本に帰《かえ》ってきたぼくが、次《つぎ》にめざすものとして「清《せい》掃登山《そうとざん》」を選《えら》んだ理由《りゆう》には、文明社会《ぶんめいしゃかい》に対《たい》する登山家《とざんか》としての敏感《びんかん》な感覚《かんかく》が働《はたら》いているのではないかと思《おも》う。登山家《とざんか》だからこそ見《み》える現代社会《げんだいしゃかい》の良《よ》い所《ところ》・悪《わる》い所《ところ》といったものがあるのではないかと思《おも》う。

日本に帰国《きこく》してすぐ行《おこな》った記者会見《きしゃかいけん》で、

「つぎはエベレストの清掃登山《せいそうとざん》をやりますので、みなさん、よろしくお願《ねが》いします。」

と、ぼくは発表《はっぴょう》した。

今度《こんど》はどこに冒険《ぼうけん》に行《い》くのだろうかと期待《きたい》していた記者《きしゃ》たちは、おどろいたようだった。「冒険《ぼうけん》」と「清掃《せいそう》」とはまったく質《しつ》がちがうものだったからだ。野口健《のぐちけん》は何《なに》を考《かんが》えているのか？　みんな、首《くび》をかしげているみたいだった。

ぼくが「エベレストのゴミを拾《ひろ》ってきれいにしよう」と思《おも》いついたのには、じつはきっかけがある。それは、第一回目《だいかいめ》のエベレスト登山《とざん》で、イギリス人《じん》のラッセルがひきいる国際公募隊《こくさいこうぼたい》に参加《さんか》した時《とき》のことだった。

国際公募隊《こくさいこうぼたい》の連中《れんちゅう》は、上《うえ》のベースキャンプに荷物《にもつ》を運《はこ》んだりテントをはったりを、数日《すうじつ》がかりでしていたんだけど、その仕事《しごと》の休《やす》みの日《ひ》があった時《とき》、隊長《たいちょう》のラッセルはみんなを集《あつ》めていった。

「いい機会《きかい》だ。休《やす》みの日《ひ》にベースキャンプのまわりのゴミを拾《ひろ》おうじゃないか！」

ぼくはそれを聞《き》いて、

「ゴミ拾《ひろ》いなんかしている場合《ばあい》じゃないだろ。そんなよゆうないよ！　だいたいゴミ拾《ひろ》いをしにきたんじゃない。山登《やまのぼ》りにきたんだ。なにいってんだい！」

といいたかった。

ところが、ほかの隊員《たいいん》から拍手《はくしゅ》が起《お》こった。

「グッドアイディア（いい考《かんが》えだ）！」

と、みんな口々《くちぐち》にいっている。隊《たい》のほとんどの人《ひと》が賛成《さんせい》している。

それでもぼくはやめとこうと思《おも》っていると、ラッセル隊長《たいちょう》とぐうぜん目《め》が合《あ》ってしまって、つい、

「オーケー……！」

と、にっこりして返事《へんじ》してしまったのだ。

こうしてベースキャンプ周辺《しゅうへん》のゴミ拾《ひろ》いが始《はじ》まった。ぼくも、気乗《きの》りしないまま拾《ひろ》いはじめた。いざ拾《ひろ》ってみると、あるわあるわ、ゴミの多《おお》さにおどろいた。ロープやカップメンの容器《ようき》や空《あ》き缶《かん》……。しかも日本語《にほんご》の漢字《かんじ》やカタカナが印刷《いんさつ》されたゴミが多《おお》いようだ。

やっぱり日本の登山家《とざんか》たちが捨《す》てたゴミなんだろうなと思《おも》ってそれを拾《ひろ》っていると、ラッセル隊長《たいちょう》がぼくの所《ところ》までやってきていった。

「ふーむ。日本は経済《けいざい》は一流《りゅう》だけど、マナーは三流《りゅう》だね！」

「ええっ！」

ぼくがムッとしていると、彼《かれ》は続《つづ》けた。

「日本人《じん》はヒマラヤを富士山《ふじさん》と同《おな》じゴミの山《やま》にするつもりなのかね？」

富士山《ふじさん》に登《のぼ》ったことのあるぼくは、思《おも》わずさけんだ。

「待《ま》ってくれ！　富士山《ふじさん》はきれいだろ？」

すると、彼《かれ》はにやりと笑《わら》って自信《じしん》たっぷりに答《こた》えた。

「いや、きたない！　ゴミの山《やま》だ！」

ぼくはそれ以上《いじょう》いえなくなってしまった。なにしろ冬《ふゆ》の富士山《ふじさん》にしか登《のぼ》ったことがなかったからだ。冬《ふゆ》は雪《ゆき》におおわれてゴミなんか見《み》たことがないからだ。そんなにきたないのか？　世界的《せかいてき》に有名《ゆうめい》な登山家《とざんか》の言葉《ことば》を前《まえ》に、ぼくの自信《じしん》はくずれはじめた。彼《かれ》は世界《せかい》の山々《やまやま》についてよく知《し》っている。ぼくは少《すこ》しはずかしくなった。

ラッセルとの会話《かいわ》が強《つよ》く印象《いんしょう》に残《のこ》ったぼくは、日本に帰《かえ》るとさっそく調《しら》べてみた。すると富士山《ふじさん》はたしかにゴミが放置《ほうち》されている山《やま》だった。ぼくが前《まえ》に登《のぼ》った時《とき》は雪《ゆき》におおわれた冬山《ふゆやま》だったので、なんとなくきれいだと思《おも》いこんでしまっていたのだ。これには環境問題《かんきょうもんだい》がいろいろ関係《かんけい》していることもわかってきた。

ぼくはエベレスト登頂《とうちょう》に最初《さいしょ》に失敗《しっぱい》して帰国直後《きこくちょくご》に開《ひら》いた記者会見《きしゃかいけん》で、エベレスト登頂《とうちょう》の失敗《しっぱい》の話《はなし》とは別《べつ》に、ベースキャンプに日本のゴミが多《おお》いという話《はなし》をしていた。

すると、エベレストに散乱《さんらん》する日本隊《にほんたい》のゴミのことがマスコミに大《おお》きく報道《ほうどう》され、日本の山岳会《さんがくかい》の先輩《せんぱい》たちから非難《ひなん》の声《こえ》が起《お》こった。

「日本のはじをさらすつもりか！　よけいなことはいわない方《ほう》がいい。」

さらには、「だまっていればいいんだ！」との声《こえ》もあがるほどだった。

日本の登山界《とざんかい》を長年《ながねん》背負《せお》ってきた代表者《だいひょうしゃ》のような方々《かたがた》にとっては、日本の国《くに》としての評判《ひょうばん》を悪《わる》くしたくないという気持《きも》ちでいっていることかもしれなかった。が、ぼくがしだいに考《かんが》えはじめていた環境問題《かんきょうもんだい》としての意識《いしき》はまったく彼《かれ》らの頭《あたま》の中《なか》にないことがわかって、ぼくはがっかりした。もちろん、応援《おうえん》してくれる先輩方《せんぱいがた》もいたが、いつでもそうだけど応援《おうえん》してくれる人《ひと》は声《こえ》が小《ちい》さい。批判《ひはん》する人《ひと》はギャーギャーと大声《おおごえ》でさわぐ。これではだめだと思《おも》った。日本の山岳会《さんがくかい》がこのような古《ふる》い考《かんが》えからぬけださないかぎり、日本は世界《せかい》から、

「日本は経済《けいざい》は一流《りゅう》だけど、マナーは三流《りゅう》だね！」

と、いわれてしまうのだとぼくは思《おも》った。

本当《ほんとう》のことを知《し》らねばならないのだ。エベレストのビデオを見《み》ても、エベレストの

写真集《しゃしんしゅう》を見《み》ても、そこにはゴミが写《うつ》っていない。富士山《ふじさん》の写真集《しゃしんしゅう》を見《み》ても、富士山《ふじさん》の案内書《あんないしょ》を見《み》ても、そこにはゴミなど写《うつ》っていない。美《うつく》しいすがたしか写《うつ》ってない。だから、実際《じっさい》にエベレストや富士山《ふじさん》に出《で》かけても、ゴミが多《おお》いことに目《め》がいかない。見《み》えない。ゴミなんて知《し》らない。ということになる。しかし、現実《げんじつ》にはゴミが多《おお》く、その多《おお》さがだんだん問題《もんだい》になっていくとするならば、一度《ど》、山《やま》のゴミ問題《もんだい》というものを真剣《しんけん》に考《かんが》えなければならないのではないか。それも登山家《とざんか》としての役目《やくめ》なのではないか。ぼくはそう考《かんが》えるようになった。

だが、ぼくも最初《さいしょ》はまったくゴミには無関心《むかんしん》だったのだから、あまり大《おお》きいことはいえないかもしれない。でもぼくは「落《お》ちこぼれ」だったからこそわかる。まちがいや失敗《しっぱい》はあるものだ。だが、まちがっていることを見《み》つけたなら、それを訂正《ていせい》して、勇気《ゆうき》を持《も》って新《あたら》しい行動《こうどう》を始《はじ》めることが大事《だいじ》なのだ。「悪《わる》い」のは、「まちがった」ことではなく、「まちがいを直《なお》さない」ことだ。そのためにも、かくすことは良《よ》くないことだとぼくは思《おも》った。

そして三年続《ねんつづ》けてヒマラヤに行《い》ったので、ベースキャンプ周辺《しゅうへん》のゴミが増《ふ》えつづけていることが大《おお》きな問題《もんだい》に感《かん》じられてきた。これはぜひともなんとかしなければならない。そこで「エベレスト清掃登山《せんそうとざん》」を発表《はっぴょう》したのだ。山《やま》に登《のぼ》りはじめた時《とき》、すぐモンブランに出《で》かけたのと同《おな》じような気持《きも》ちだった。ぼくにとって「エベレスト清掃登山《せいそうとざん》」が、「七大陸最高峰登頂《たいりくさいこうほうとうちょう》」に続《つづ》く冒険《ぼうけん》になったのだ。

ぼくはまず、現地《げんち》のシェルパをやとって、シェルパたちと、ぼくと、日本の協力者《きょうりょくしゃ》たちとの約《やく》三十人《にん》ほどが力《ちから》を合《あ》わせてゴミを拾《ひろ》う活動《かつどう》を始《はじ》めた。世界初《せかいはつ》のエベレスト清掃登山《せいそうとざん》の始《はじ》まりだった。

ゴミの多《おお》い六五〇〇メートルから八三〇〇メートルの最終《さいしゅう》ベースキャンプまでを、一か月《げつ》ほどをかけて清掃《せいそう》する予定《よてい》を立《た》てた。だが、いざ始《はじ》めようとすると、シェルパの一人《ひとり》から、

「今年《ことし》は寒《さむ》さと強風《きょうふう》がひどいから気《き》をつけなさい。高山病《こうざんびょう》の人《ひと》も多数出《たすうで》ていますよ。」

と、いわれ、不安《ふあん》になった。

ゴミを拾《ひろ》っていると、強風《きょうふう》がふきあれてきた。拠点《きょてん》とするテントがふき飛《と》ばされそうになる。高《たか》い所《ところ》での作業《さぎょう》は予想以上《よそういじょう》につかれる。へとへとになる。頭痛《ずつう》だって起《お》こ

登山隊《とざんたい》が使《つか》った酸素《さんそ》ボンベも、数多《かずおお》く捨《す》てられていた。

きびしい条件《じょうけん》の中《なか》、清掃活動《せいそうかつどう》もたいへん危険《きけん》な作業《さぎょう》となる。

ってくる。だが、ゴミの量《りょう》ははんぱじゃない。何年《なんねん》も前《まえ》の古《ふる》いゴミからつい最近捨《さいきんす》てられたゴミまで、あるわあるわ、たいへんな量《りょう》だ。

五~六〇〇〇メートルのベースキャンプ周辺《しゅうへん》を中心《ちゅうしん》に活動《かつどう》するのはまだいい方《ほう》で、八〇〇〇メートルのベースキャンプ周辺《しゅうへん》のゴミ拾《ひろ》いは、命《いのち》がけだ。高地生《こうちう》まれの現地《げんち》のシェルパを中心《ちゅうしん》にやってもらったのだが、酸素《さんそ》がうすい所《ところ》で体《からだ》を動《うご》かして長《なが》い間《あいだ》ゴミを拾《ひろ》いつづけると、血行障害《けっこうしょうがい》にもなりやすい、内蔵《ないぞう》だって悪《わる》くなりやすい。エベレストの清掃活動《せいそうかつどう》は、頂上《ちょうじょう》に登《のぼ》るのと同《おな》じくらい、骨身《ほねみ》をけずっての活動《かつどう》なのだ。

だが、すばらしいこともあった。ぼくらが活動《かつどう》していると、スイス隊《たい》、ドイツ隊《たい》、イギリス隊《たい》、スペイン隊《たい》、デンマーク隊《たい》、ロシア隊《たい》、中国隊《ちゅうごくたい》など、その時《とき》エベレストにやってきていた世界各国《せかいかっこく》の登山隊《とざんたい》が協力《きょうりょく》してくれた。

ちょうどあのラッセルもいた。

「ノグチ、これはいい企画《きかく》だ。協力《きょうりょく》するよ!」

「ありがとう。おねがいするよ!」

ふだんは重々《おもおも》しくてちょっと苦手《にがて》なラッセルだったが、この時《とき》ばかりは本当《ほんとう》のやさしさが感《かん》じられてぼくはうれしかった。

各国《かっこく》の登山隊《とざんたい》が自分《じぶん》たちの出《だ》したゴミや、周辺《しゅうへん》のゴミをまとめてくれて、一番下《ばんした》のベースキャンプにおろすのを手伝《てつだ》ってくれたりした。国《くに》のちがいをこえて助《たす》け合《あ》うことは、なんと感動的《かんどうてき》なことだろう。

こうしてぼくらは、酸素《さんそ》ボンベ、ロープ、ビールびん、食料《しょくりょう》のゴミなど合計《ごうけい》一トン半《はん》ものゴミを回収《かいしゅう》することができた。酸素《さんそ》ボンベは一一六本《ぽん》にもなった。下《した》に運《はこ》ぶ時《とき》には、ヤクという水牛《すいぎゅう》のような動物《どうぶつ》に背負《せお》わせて運《はこ》んだ。ヤクなしに、清掃登山《せいそうとざん》を成《な》しとげることはできない。この大量《たいりょう》のゴミを下《した》に運《はこ》ぶ手段《しゅだん》がほかにないのだ。ヤクよ、ありがとう。おまえたちも人間《にんげん》の捨《す》てたゴミ拾《ひろ》いに一役《ひとやく》かって協力《きょうりょく》してくれたのだ。

ぼくはエベレスト清掃登山活動《せいそうとざんかつどう》を、次《つぎ》の年《とし》の二〇〇一年《ねん》、その次《つぎ》の年《とし》の二〇〇二年《ねん》、二〇〇三年《ねん》と、合計《ごうけい》四年間実行《ねんかんじっこう》した。

ぼくは日本だけでなく、中国《ちゅうごく》、韓国《かんこく》、ネパール、インドネシアなどアジア各国《かっこく》の登《と》山家《ざんか》たちによびかけて、それらの国《くに》の協力《きょうりょく》の元《もと》に「エベレスト清掃登山《せいそうとざん》」をやることにも成功《せいこう》した。

なぜアジアだけなのか。それは、ゴミひろいの体験《たいけん》からわかったことだが、ゴミを捨《す》てるのが多《おお》いのは圧倒的《あっとうてき》にアジアの国々《くにぐに》だった。アジアの国々《くにぐに》には「環境《かんきょう》」や「環境問題《かんきょうもんだい》」に対《たい》する考《かんが》え方《かた》があまりない。環境保護《かんきょうほご》の歴史《れきし》が浅《あさ》い。だから、ゴミが環境《かんきょう》を破壊《はかい》するといっても、ピンとこないところがある。だが、いまや地球上《ちきゅうじょう》のどこでも、「環境問題《かんきょうもんだい》」が発生《はっせい》している時代《じだい》なので、アジア各国《かっこく》もぼくの計画《けいかく》に賛成《さんせい》してくれたのだった。

ぼくは「清掃登山《せいそうとざん》の野口《のぐち》」とよばれるようになり、しだいに社会的《しゃかいてき》な環境問題《かんきょうもんだい》の行動家《こうどうか》として活動《かつどう》するようになっていった。

8　もうゴミがない！

ぼくは、エベレスト清掃登山《せいそうとざん》を始《はじ》めた二〇〇〇年《ねん》から、環境問題《かんきょうもんだい》について勉強《べんきょう》するようになった。ぼくはその時《とき》二十六歳《さい》。ちょうど亜細亜大学《あじあだいがく》を八年《ねん》かけて卒業《そつぎょう》したところだった。大学《だいがく》に約束《やくそく》したとおり、「七大陸最高峰登頂達成《たいりくさいこうほうとうちょうたっせい》」してようやく卒業《そつぎょう》できたという状態《じょうたい》だった。今度《こんど》こそ本当《ほんとう》に勉強《べんきょう》したいと思《おも》った。

環境問題《かんきょうもんだい》について、ぼくは徹底的《てっていてき》に学《まな》びたかった。世界《せかい》の情報《じょうほう》や、学者《がくしゃ》の意見《いけん》など、行動《こうどう》だけではわからない面《めん》を、知識《ちしき》でおぎないたかった。

ぼくがとっている行動《こうどう》は、単《たん》に個人的《こじんてき》な思《おも》いにとどまる行動《こうどう》ではなく、社会的《しゃかいてき》にも科学的《かがくてき》にも正《ただ》しい行動《こうどう》であることをぼくは確《たし》かめたかった。また将来予想《しょうらいよそう》される環境《かんきょう》問題《もんだい》や教育《きょういく》の問題《もんだい》も知《し》りたかった。

ぼくは勉強《べんきょう》しながら、ハッと思《おも》った。父《ちち》の言葉《ことば》を思《おも》い出《だ》したのだ。

「勉強《べんきょう》は進《すす》んでするものだ。勉強《べんきょう》したくなる時《とき》が必《かなら》ずくるから、その時《とき》に一生懸命《いっしょうけんめい》すればいいんだよ。」

父《ちち》がぼくにいったことは本当《ほんとう》だった。ぼくは、子《こ》ども時代《じだい》からずっと続《つづ》いている一本《ぽん》の道《みち》をたどってここまでやってきたことを、ふしぎな感動《かんどう》をおぼえながら思《おも》い返《かえ》していた。

こうしてぼくはエベレスト清掃登山《せいそうとざん》を続《つづ》けながら、環境問題《かんきょうもんだい》についての勉強《べんきょう》もしていった。そしてわかった。エベレストで放置《ほうち》される各国《かっこく》のゴミは、エベレストの山《やま》だけの問題《もんだい》ではなく、自分《じぶん》の国《くに》のきたなさをも表《あらわ》していた。つまりエベレストでゴミを大量《たいりょう》に捨《す》てている国《くに》は、国内《こくない》でも同《おな》じようにゴミを捨《す》てているので、当然《とうぜん》ゴミでよごれている国《くに》だと見《み》なしていいのだった。

ぼくはエベレストでゴミ拾《ひろ》いを続《つづ》けながら、しだいに日本のゴミが気《き》になりだした。ラッセルのいった「日本人《じん》はヒマラヤを富士山《ふじさん》と同《おな》じゴミの山《やま》にするつもりなのかね？」という言葉《ことば》の中《なか》の、「富士山《ふじさん》」に注目《ちゅうもく》せざるをえなくなった。

富士山《ふじさん》を見《み》にいった。まずおどろいたのは車《くるま》の渋滞《じゅうたい》だ。なんという人《ひと》の多《おお》さ。次《つぎ》にびっくりしたのは、登山入り口《とざんいぐち》といえる五合目《ごうめ》にある自動販売機《じどうはんばいき》の多《おお》さだ。ずらりと並《なら》んでいる。店《みせ》もある。いろんなものが売《う》られている。富士山《ふじさん》は富士箱根伊豆国立公《ふじはこねいずこくりつこう》園《えん》に指定《してい》されている、れっきとした国立公園《こくりつこうえん》の中《なか》の山《やま》だ。世界《せかい》をさがしても、国立公《こくりつこう》園《えん》の山《やま》でこのような環境《かんきょう》にある山《やま》はない。これじゃレジャーランドだ。

このような環境《かんきょう》では、当然《とうぜん》ゴミが多《おお》くなる。ゴミがポイと捨《す》てられる。山小屋《やまごや》の裏《うら》にはゴミがいっぱいあった。上《うえ》へ上《うえ》へと登《のぼ》っていくと、あちこちでゴミが放置《ほうち》されていた。それにトイレ。三七七六メートルの山《やま》に下水《げすい》などあるはずがないから、水洗設《すいせんせつ》備《び》などもちろんない。ウンチやオシッコはたれ流《なが》しということになる。年間《ねんかん》三〇万《まん》から四〇万人《まんにん》の人《ひと》が富士山《ふじさん》を訪《おとず》れるというが、それらの人《ひと》のウンチやオシッコが、すべて山《やま》の地面《じめん》にしみこませるだけの処理《しょり》の方法《ほうほう》をとっている。使《つか》われたトイレットペーパーはそのまま残《のこ》る。上空《じょうくう》から見《み》ると、その白《しろ》い無数《むすう》の細《ほそ》いすじが川《かわ》の流《なが》れのように見《み》えるそうだ。

だが、富士山《ふじさん》は本来《ほんらい》は美《うつく》しい山《やま》だ。富士山《ふじさん》が美《うつく》しい形《かたち》をした山《やま》であることは世界《せかい》の山《やま》の中《なか》でも群《ぐん》をぬいている。海《うみ》といっしょに見《み》えたり、湖《みずうみ》に映《うつ》ったりする山《やま》は世界《せかい》でもまれだ。「マウントフジ」の名前《なまえ》は、最《もっと》も美《うつく》しい山《やま》の名前《なまえ》として世界中《せかいじゅう》にひびきわたっている。父《ちち》が外交官《がいこうかん》をしていたころよく見《み》た大使館《たいしかん》のパンフレットには、富士山《ふじさん》の美《うつく》しい写真《しゃしん》がいつものっていた。「日本＝富士山《ふじさん》＝美《うつく》しい国《くに》」というイメージは、いまも世界《せかい》で生《い》きている。

ところが、実際《じっさい》は「こんなきたない山《やま》はない」というのが現実《げんじつ》なのだ。「富士山《ふじさん》って、なんてきれい！」といって集《あつ》まる人々《ひとびと》が、そのまま富士山《ふじさん》をきたなくしているという真実《しんじつ》がそこにはある。もしかしたら、人々《ひとびと》は本当《ほんとう》のことを知《し》らないでいて、なんとなくそうしているのかもしれない。また、そこには、いろいろな問題《もんだい》がふくまれていて、そうかんたんに解決《かいけつ》できないものが横《よこ》たわっている。

だけど、ほうっておくわけにはいかない。まず行動《こうどう》することが大事《だいじ》だと思《おも》ったぼくは、「エベレスト清掃登山《せいそうとざん》」と同時《どうじ》に「富士山清掃登山《ふじさんせいそうとざん》」を始《はじ》めることにした。

ぼくは「清掃登山《せいそうとざん》」を発表《はっぴょう》し参加者《さんかしゃ》を募集《ぼしゅう》したが、「清掃《せいそう》」も地味《じみ》、「登山《とざん》」も地味《じみ》、「清掃登山《せいそうとざん》」はダブル地味《じみ》で、一〇〇人集《にんあつ》まればいい方《ほう》だった。三〇万人以上《まんにんいじょう》もの人《ひと》がひと夏《なつ》に富士山《ふじさん》に登《のぼ》るというのに。

実際《じっさい》に拾《ひろ》いはじめると、あまりのゴミの多《おお》さにぼくは途方《とほう》にくれた。拾《ひろ》っても拾《ひろ》っても新《あら》たなゴミが捨《す》てられていた。拾《ひろ》っている間《あいだ》にも横《よこ》で捨《す》てられている。へるどころではない。増《ふ》えているのかもしれない。富士山《ふじさん》は広《ひろ》い。いくら拾《ひろ》ってもゴミがなくならない。

「どうせやったって、むりかも。」

と、感《かん》じたことも正直《しょうじき》あった。

でも、富士山《ふじさん》のふもとにある青木ヶ原《あおきがはら》の樹海《じゅかい》に大量《たいりょう》のゴミが捨《す》てられていることがわかり、ぼくは「富士山清掃登山《ふじさんせいそうとざん》」をすると同時《どうじ》に「青木ヶ原樹海《あおきがはらじゅかい》ゴミゼロ作戦《さくせん》」も始《はじ》めたのだ。

青木ヶ原《あおきがはら》の樹海《じゅかい》は世界的《せかいてき》にも貴重《きちょう》で、めずらしいコケなどの自然《しぜん》が残《のこ》されている原生林《げんせいりん》。そこに不法投棄《ふほうとうき》のゴミが大量《たいりょう》に放置《ほうち》されている。ドラム缶《かん》、タイヤ、いらなくなった材木《ざいもく》、バッテリー、テレビ、冷蔵庫《れいぞうこ》、自動車《じどうしゃ》、紙《かみ》おむつ、*硫酸《りゅうさん》ピッチなどの危険物《きけんぶつ》もある。樹海《じゅかい》は水源地《すいげんち》だ。水《みず》を作《つく》る山《やま》をよごせば川《かわ》もきたなくなる。ぼくは富士山《ふじさん》の現実《げんじつ》を知《し》れば知《し》るほど、あせった。

*硫酸《りゅうさん》ピッチ＝強《つよ》い酸性《さんせい》の性質《せいしつ》を持《も》ち、水《みず》と反応《はんのう》すると有害《ゆうがい》なガスを発生《はっせい》する。

青《あお》木《き》ヶ《が》原《はら》の樹海《じゅかい》に捨《す》てられていた、さまざまなゴミ。

でも少《すく》ない人数《にんずう》でゴミをいくら拾《ひろ》っても限度《げんど》がある。個人《こじん》の行動《こうどう》には限界《げんかい》がある。富士山《ふじさん》は山梨県《やまなしけん》と静岡県《しずおかけん》にまたがっている山《やま》で、この両県《りょうけん》が富士山《ふじさん》のゴミ対策《たいさく》に乗《の》りだせば効果《こうか》は大《おお》きいと思《おも》って、ぼくは両県《りょうけん》によびかけたが、さほど反応《はんのう》がない。両《りょう》県《けん》の代表者《だいひょうしゃ》はそれぞれ別《べつ》の考《かんが》えをもっているようだった。地元《じもと》の人々《ひとびと》やそこで商売《しょうばい》をしている人《ひと》たちも別《べつ》の考《かんが》え方《かた》をもっていた。これでは一つの方向《ほうこう》にまとまるわけがない。また産業廃棄物《さんぎょうはいきぶつ》を不法投棄《ふほうとうき》する業者《ぎょうしゃ》にはらんぼうな人《ひと》もいて、いやがらせをする者《もの》がいた。ぼく自身《じしん》の住《す》む所《ところ》を引《ひ》っ越《こ》しせざるをえなくなったりして、これにはぼくもまいってしまった。

そんなころだった。ぼくはなんとなく父《ちち》に電話《でんわ》した。

父《ちち》はそのころ、すでに再婚《さいこん》していて、外交官《がいこうかん》の仕事《しごと》を退職《たいしょく》し、京都《きょうと》でのんびりした生活《せいかつ》を送《おく》っていた。父《ちち》はぼくの活躍《かつやく》は知《し》っていて、エベレスト登山《とざん》の時《とき》はそれなりに心配《しんぱい》していたらしいが、そういう心配《しんぱい》をあえてぼくにいうような人《ひと》ではなかった。ぼくはそんな父《ちち》がむしろ好《す》きだった。

「よう、健《けん》。元気《げんき》か？」

父《ちち》のひさしぶりの声《こえ》が聞《き》こえてきた。

ぼくが清掃登山《せいそうとざん》がなかなか進《すす》まない話《はなし》をすると、父《ちち》はこういった。

「健《けん》の考《かんが》えは正《ただ》しいよ。だけど、いろいろな考《かんが》え方《かた》をする人《ひと》がいるのも事実《じじつ》だ。健《けん》の考《かんが》えが正《ただ》しいからといって、社会《しゃかい》ではそうかんたんにはうまくいかないものだ。いろんな立場《たちば》があるからね。でも、だからといって、悲観《ひかん》することはない。世《よ》の中《なか》ってそんなもんさ。とにかく元気《げんき》に前《まえ》に進《すす》むことが一番《いちばん》だ。」

「わかった。ありがとう。」

ぼくは父《ちち》と話《はな》してよかったと思《おも》った。父《ちち》は外交官《がいこうかん》として国際社会《こくさいしゃかい》の中《なか》で長《なが》く生《い》きてきた人《ひと》だ。その人《ひと》が「社会《しゃかい》ではそうかんたんにはうまくいかない」といっているのだから、その言葉《ことば》を信《しん》じた方《ほう》がいいだろうと思《おも》った。エベレストだってそうかんたんには登《のぼ》れなかったのだ。ダメだからといって、ひどく絶望《ぜつぼう》する必要《ひつよう》はないのだ。なんてひどい世《よ》の中《なか》だ、なんて思《おも》わない方《ほう》がいい。そう思《おも》った。

ふと窓《まど》の外《そと》をぼくは見《み》た。そこには街《まち》があった。通《とお》りをぞろぞろ人《ひと》が歩《ある》いていた。おしゃべりしたり、笑《わら》いあったりしていた。ワイワイガヤガヤ、みんなそれぞれ生《い》きていた。

こういう人々《ひとびと》と同《おな》じように、ぼくも生《い》きているのだと思《おも》った。ぼくはふと、子《こ》どものころ父《ちち》といっしょにながめたアラブの人々《ひとびと》の陽気《ようき》な生活《せいかつ》の風景《ふうけい》を思《おも》い出《だ》した。

「とにかく元気《げんき》に前《まえ》に進《すす》む事《こと》が一番《いちばん》だ。あきらめるわけにはいかないぞ！」

ぼくは思《おも》いなおした。

そして「富士山清掃登山《ふじさんせいそうとざん》」と「青木ヶ原樹海《あおきがはらじゅかい》ゴミゼロ作戦《さくせん》」が続《つづ》けられた。

多《おお》くの人々《ひとびと》が協力《きょうりょく》してくれた。ぼくは機会《きかい》があるごとに、富士山《ふじさん》のゴミ問題《もんだい》について、人々《ひとびと》にわかりやすく伝《つた》える努力《どりょく》をした。ぼくだって、学者《がくしゃ》のように環境問題《かんきょうもんだい》がよくわかってるわけじゃない。だからこそ、いっしょに考《かんが》えようではないか。少《すこ》しでも行動《こうどう》しようじゃないか。ぼくはそういう姿勢《しせい》だった。

公的《こうてき》な機関《きかん》へのよびかけも続《つづ》けた。山梨県《やまなしけん》と静岡県《しずおかけん》の両県《りょうけん》もだんだん意識《いしき》が変《か》わってきて、力《ちから》を合《あ》わせはじめたようだ。トイレの問題《もんだい》も、*オゾントイレが民間《みんかん》から生《う》まれてきたりして、変《か》わりつつあるみたいだった。

年々《ねんねん》、清掃登山《せいそうとざん》の参加者《さんかしゃ》は増《ふ》えていった。ぼくが指定《してい》した日《ひ》に、全国《ぜんこく》から人《ひと》が集《あつ》ま

*オゾントイレ＝オゾンの持《も》つ殺菌力《さっきんりょく》や脱臭力《だっしゅうりょく》を利用《りよう》したトイレ。残留《ざんりゅう》しないオゾンは環境《かんきょう》にも良《よ》い。

ってくる。多《おお》い時《とき》には百人《ひゃくにん》、二百人《ひゃくにん》と集《あつ》まった。みんなボランティア。お金《かね》を使《つか》ってまでしてゴミ拾《ひろ》いをしにやってきてくれるのだ。気《き》がついたら全国《ぜんこく》からゴミを拾《ひろ》いた い人《ひと》が大集合《だいしゅうごう》するようになっていた。

「野口《のぐち》さん。やろう!」

「よーし、やるぞーっ!」

あちこちで、元気《げんき》な声《こえ》がひびく。

ゴミ拾《ひろ》いは単純《たんじゅん》な作業《さぎょう》だ。ビニール袋《ぶくろ》に拾《ひろ》ったゴミをつめていく。ケガをしないように注意《ちゅうい》するだけだ。ゴミがどんどんなくなっていけば、さっぱりする。ここのゴミはない、ここもすんだ、と次々《つぎつぎ》にゴミを消《け》していくのは気持《きも》ちがいい。しかし、なかなかの重労働《じゅうろうどう》ではある。あせも流《なが》れてくるし、足腰《あしこし》だってそれなりに痛《いた》くなってくる。

最初《さいしょ》の清掃登山《せいそうとざん》は中高年《ちゅうこうねん》の女性《じょせい》が多《おお》かった。しだいに若《わか》い人《ひと》が増《ふ》えてきた。女性《じょせい》が多《おお》かったが、男性《だんせい》も増《ふ》えてきた。家族《かぞく》ぐるみやってくる。最初《さいしょ》はお母《かあ》さんと子《こ》どもたちが多《おお》かったが、やがてお父《とう》さん方《がた》の参加《さんか》も目《め》だつようになってきた。やはり父《ちち》のパワーにはすごいものがある。一〇〇人《にん》もの参加者《さんかしゃ》がバケツリレーでゴミ処理《しょり》を始《はじ》めた時《とき》はすごかった。

中《なか》には赤《あか》ちゃんを背負《せお》ってゴミ拾《ひろ》いをする女性《じょせい》もいる。ワイワイガヤガヤさわぎながらやっている高校生《こうこうせい》たちもいる。

終《お》わって、

「すっごい楽《たの》しかったよ。ゴミ拾《ひろ》いって気持《きも》ちいいね！　またくるよ！」

という若《わか》い女《おんな》の子《こ》さえいる。

みんな富士山《ふじさん》が好《す》きなのだ。「みんなの富士山《ふじさん》だからきれいにしよう！」という意《い》味《み》をみんなが理解《りかい》し、実際《じっさい》にみんな体《からだ》を使《つか》ってゴミ拾《ひろ》いをし、そしてゴミがなくなってみんなの富士山《ふじさん》がきれいになっていく。そのような純粋《じゅんすい》で大《おお》きな行動《こうどう》は、日常《にちじょう》ではないだろう。家《いえ》でも、学校《がっこう》でも、塾《じゅく》でも、会社《かいしゃ》でも、ないだろう。そうして、一人《ひとり》の力《ちから》は小《ちい》さくても、みんなの力《ちから》を合《あ》わせるならば、大《おお》きな力《ちから》が生《う》まれるのだ。

「青木ヶ原樹海《あおきがはらじゅかい》ゴミゼロ作戦《さくせん》」では、二〇〇四年《ねん》までに合計《ごうけい》十一回《かい》の清掃《せいそう》が行《おこな》われ、参加人数《さんかにんずう》二八〇〇人《にん》で約《やく》五〇トンのゴミを回収《かいしゅう》することができた。

そしてある日《ひ》、富士山《ふじさん》の六合目《ごうめ》に三〇〇人《にん》ほどのボランティアと清掃活動《せいそうかつどう》をしにいったら、ゴミがほとんどなかった。昨年《さくねん》はいっぱいあったのにと、ぼくはあっけにとられた。ゴミがないことはいいことだけれど、みんな全国《ぜんこく》からはるばるゴミを拾《ひろ》いにやってきてくれたものだから、ゴミがないと「ゴミがないじゃないか！」と、ぼくにクレームがきた。

ぼくはアレッと思《おも》い、さっそく富士山《ふじさん》を歩《ある》いてみたら、なぞがとけてきた。一般登《いっぱんと》山者《ざんしゃ》たちの多《おお》くが片手《かたて》にビニール袋《ぶくろ》を持《も》ち、休憩中《きゅうけいちゅう》にさりげなくゴミを拾《ひろ》っていたのだ。なるほど、もし仮《かり》に三〇万人《まんにん》もの登山者《とざんしゃ》が一人《ひとり》一つゴミを拾《ひろ》えば三〇万個《まんこ》のゴミが瞬間《しゅんかん》になくなる。実際《じっさい》には登山者《とざんしゃ》たち全員《ぜんいん》が拾《ひろ》うことはないだろうが、そのかわり拾《ひろ》う人《ひと》は一つにとどまらずに何個《なんこ》も拾《ひろ》う。多《おお》くの登山者《とざんしゃ》たちにぼくらの清掃登山活動《せいそうとざんかつどう》をしている気持《きも》ちが伝《つた》わって、五合目《ごうめ》から上《うえ》のゴミがものすごい勢《いきお》いでなくなっていったのだろう。

ゴミは、単《たん》に不要《ふよう》のモノであることを表《あらわ》しているだけでなく、人《ひと》がいだいている心《こころ》を表《あらわ》している。「ゴミなんか捨《す》ててもいい」という心《こころ》があるので、ゴミの散《ち》らかる景《け》色《しき》が生《う》まれる。その心《こころ》が変《か》われば、ゴミの散《ち》らかる景色《けしき》はなくなるのだ。

「これはすごい！」

ぼくはきょろきょろあたりを見《み》まわしながら、感動《かんどう》していた。

登山《とざん》は、最後《さいご》はただ自分一人《じぶんひとり》の力《ちから》で成《な》しとげるものだ。だが、清掃登山《せいそうとざん》は、最後《さいご》はみんなの力《ちから》で成《な》しとげられるものだ。

みんなの力《ちから》。それはぼくの最初《さいしょ》の発想《はっそう》をはるかに超《こ》えたものだった。

「おお、すばらしい世界《せかい》じゃないか！」

ぼくは、ふもとから、あたり一帯《いったい》を見《み》まわした。グンとそびえたつ富士山《ふじさん》のすがたは、やはり美《うつく》しかった。なつかしいぼくらの富士山《ふじさん》そのままだった。ぼくは思《おも》いっきり、おいしい山《やま》の空気《くうき》を胸《むね》いっぱいにすいこんだ。

富士山《ふじさん》をきれいにすることができれば、日本の国《くに》のゴミ問題《もんだい》、いろいろな環境問題《かんきょうもんだい》、日本の人々《ひとびと》の意識《いしき》が変《か》わってくるのではないか。ぼくの胸《むね》の中《なか》に、新《あたら》しい期待《きたい》の気持《きも》ちがわきあがってきた。

ぼくの環境問題活動《かんきょうもんだいかつどう》は広《ひろ》がっていった。そしていま、ぼくは、ぼくが作《つく》った「野口《のぐち》健《けん》　環境学校《かんきょうがっこう》」に対《たい》して大《おお》いに期待《きたい》している。

「野口健《のぐちけん》　環境学校《かんきょうがっこう》」の開催期間《かいさいきかん》は三泊《ぱく》四日《か》ほど。校長《こうちょう》はぼく。生徒《せいと》は全国《ぜんこく》から応募《おうぼ》してきた三十名《めい》ほどの子《こ》どもたち（おとなや家族《かぞく》で参加《さんか》する場合《ばあい》もある）。ぼくと子《こ》どもたちがいっしょになって、富士山《ふじさん》や小笠原《おがさわら》や屋久島《やくしま》や白神《しらかみ》や佐渡《さど》など環境保護《かんきょうほご》が問《もん》題《だい》になっている場所《ばしょ》に行《い》って、遊《あそ》びやスポーツの要素《ようそ》もりこんだ環境問題《かんきょうもんだい》の体験学《たいけんがく》習《しゅう》をしようというものだ。

「環境学校《かんきょうがっこう》」の卒業生《そつぎょうせい》は「環境《かんきょう》メッセンジャー」に認定《にんてい》される。「環境《かんきょう》に対《たい》してメッセージを発信《はっしん》しながら保護活動《ほごかつどう》を続《つづ》ける者《もの》」として、「認定書《にんていしょ》」が校長《こうちょう》のぼくから手《て》わたされるというわけだ。

二〇〇五年《ねん》の夏休《なつやす》み（七月《がつ》二十五日《にち》〜二十八日《にち》）に開催《かいさい》された「富士山《ふじさん》　環境学校《かんきょうがっこう》」では、全国《ぜんこく》から二十四名《めい》の子《こ》どもたち（小《しょう》四〜中《ちゅう》三）が集《あつ》まった。テーマは「不法投《ふほうとう》棄《き》の現状《げんじょう》について」。活動場所《かつどうばしょ》は青木ヶ原樹海《あおきがはらじゅかい》と周辺《しゅうへん》。参加者《さんかしゃ》は、富士山《ふじさん》とそのふもとにある原生林《げんせいりん》がどんなに美《うつく》しい自然《しぜん》であるかを実感《じっかん》し、次《つぎ》に、それらの自然環境《しぜんかんきょう》が、いまどのようによごされているかを自分《じぶん》の目《め》で確《たし》かめ、それから身《み》をもって清掃活動《せいそうかつどう》を体験《たいけん》して、最後《さいご》に原因《げんいん》や今後《こんご》のことについてみんなで考《かんが》えるという活動内容《かつどうないよう》だ。

夕食後《ゆうしょくご》の子《こ》どもたちどうしの話《はな》し合《あ》いは活発《かっぱつ》だ。たとえば、こんなふうだ。

「どうしておとなって不法投棄《ふほうとうき》をするのかな？」

「見《み》つからないと思《おも》って、こっそり捨《す》てるんじゃない。」

「見《み》つかれば、やめるかな？」

「ゴミを捨《す》ててもいい場所《ばしょ》だって思《おも》うから捨《す》てるんだと思《おも》います。」

「捨《す》ててもいいっていう気持《きも》ちが変《か》わらないかぎり、不法投棄《ふほうとうき》はなくならないでしょう。」

「みんながゴミを捨《す》てれば、オレだって捨《す》てよう、という気持《きも》ちになるものね。」

「じゃあ一人《ひとり》ひとりの気持《きも》ちが変《か》わっていけば、ゴミは少《すく》なくなっていくんじゃない？」

「そうだ。」

「そうだ。」

このような元気《げんき》のいい声《こえ》を聞《き》くたびに、ぼくは思《おも》う。環境問題《かんきょうもんだい》は、子《こ》どもたちが先頭《せんとう》に立《た》ってやった方《ほう》が早《はや》いのかもしれない。大人《おとな》は環境破壊《かんきょうはかい》などのこわさは頭《あたま》ではわかっていても、ついつい現実《げんじつ》から目《め》をそむけてしまいやすい。自分《じぶん》から手《て》をあげて活《かっ》動《どう》するのは大変《たいへん》だから、知《し》らんふりしたりする。

環境問題《かんきょうもんだい》の主役《しゅやく》は、本来《ほんらい》、子《こ》どもたちなのかもしれない。なぜなら、未来《みらい》に向《む》けて育《そだ》っていく子《こ》どもたちのためにこそ、環境《かんきょう》はある。地球《ちきゅう》が汚染《おせん》されたり富士山《ふじさん》がゴミだらけになって一番困《いちばんこま》るのは、じつは、いま生《う》まれて将来《しょうらい》おとなになる子《こ》どもたちだ。環境保護活動《かんきょうほごかつどう》とは、未来《みらい》に向《む》かって、いまわたしたちがやっておくべき大事《だいじ》な社会的《しゃかいてき》行動《こうどう》のことだ。子《こ》どもたちが、環境問題《かんきょうもんだい》に対《たい》して意見《いけん》をいったり活動《かつどう》したりするのは、じつに自然《しぜん》なことなのだ。

しかも、不法投棄《ふほうとうき》しているおとなは、おそらく子《こ》ども時代《じだい》に、不法投棄《ふほうとうき》がわたしたちの環境《かんきょう》にとって良《よ》くないという教育《きょういく》を受《う》けてこなかった人《ひと》たちなんだろうと思《おも》う。子《こ》どものときの考《かんが》え方《かた》や習慣《しゅうかん》こそが大事《だいじ》なのだ。その時代《じだい》、時代《じだい》の習慣《しゅうかん》にそまって人間《にんげん》は生《い》きていかざるをえない。だが、その時代《じだい》の世《よ》の中全体《なかぜんたい》に流《なが》れている空気《くうき》を、悪《わる》い方《ほう》ではなく、未来《みらい》に向《む》かって、より良《よ》い方向《ほうこう》へと変《か》えていかなければならない。でないと、困《こま》るのは、将来《しょうらい》おとなになって、家庭《かてい》を持《も》って社会《しゃかい》の中《なか》で生《い》きていく、いまの子《こ》どもたちだ。子《こ》どもたちの考《かんが》え方《かた》や習慣《しゅうかん》が変《か》わっていけば、その子《こ》がおとなになった時《とき》、社会《しゃかい》はより良《よ》い環境《かんきょう》の社会《しゃかい》に変化《へんか》しているにちがいない。

そういう意味《いみ》から、「環境学校《かんきょうがっこう》」の卒業生《そつぎょうせい》を、ぼくは「環境《かんきょう》メッセンジャー」として認定《にんてい》しているのだ。「環境《かんきょう》メッセンジャー」とは、いわば「正義《せいぎ》の使者《ししゃ》」である。それぞれが地元《じもと》に帰《かえ》ってメッセージを発信《はっしん》しながら行動《こうどう》を続《つづ》けてくれるならば、そのメッセージや行動《こうどう》が多《おお》くの人々《ひとびと》に伝《つた》わって、わたしたちの未来《みらい》の環境《かんきょう》は必《かなら》ず守《まも》られるにちがいない。そう、ぼくは願《ねが》っているのだ。

　ぼくはいまそれ以外《いがい》に、東京都《とうきょうと》のレンジャー（環境問題《かんきょうもんだい》のまとめ役《やく》）の仕事《しごと》、地方《ちほう》レンジャーの普及《ふきゅう》、シェルパ基金《ききん》（遭難《そうなん》したシェルパの遺族《いぞく》や、けがをして不自由《ふじゆう》な生活《せいかつ》を送《おく》るシェルパを助《たす》けるために集《あつ》められるお金《かね》）の運営《うんえい》なども行《おこな》っている。

　富士山清掃登山《ふじさんせいそうとざん》はこれからも続《つづ》けていくつもりだ。同時《どうじ》に、登山家《とざんか》野口健《のぐちけん》として、ヒマラヤへの登山《とざん》も新《あら》たに計画《けいかく》している。ぼくにとっては、エベレストに登《のぼ》るのも、環境問題《かんきょうもんだい》の活動《かつどう》をするのも、だれもやらないことをやろうとする意味《いみ》で、冒険《ぼうけん》なのだ。

　そして、ぼくの冒険《ぼうけん》の極意《ごくい》はただ一つ、

「あきらめないで続《つづ》けること」だ。

あとがき

ぼくはずっと自信《じしん》がなかった。エベレストに二回失敗《かいしっぱい》した時《とき》は、もう挑戦《ちょうせん》を続《つづ》けることがこわくてやめようか悩《なや》んだ。しかし、途中《とちゅう》で挑戦《ちょうせん》をやめて何《なに》もない自分《じぶん》にもどる方《ほう》がもっとこわかった。どうせこわいのなら、前《まえ》へ前《まえ》へと挑戦《ちょうせん》した方《ほう》がいい。そう考《かんが》えてやってきた。そしてこわくなってにげたくなると、みんなに「おれはエベレストに行《い》きます！」と宣言《せんげん》をする。自信《じしん》がない時《とき》は口《くち》に出《だ》してみんなに話《はな》すことでにげられないようにしてきたんだ。

失敗《しっぱい》もたくさん繰《く》り返《かえ》したよ。ただ、失敗《しっぱい》すると自分《じぶん》の弱《よわ》さ、足《た》りないところがよく見《み》える。だからその部分《ぶぶん》をトレーニングして克服《こくふく》すればチャンスが生《う》まれる。大切《たいせつ》なことは失敗《しっぱい》をこわがらずに、挑戦《ちょうせん》を続《つづ》けること。

いまやっている清掃登山《せいそうとざん》などの環境保護活動《かんきょうほごかつどう》も、やってみて一人《ひとり》じゃなにもできないことがよくわかった。エベレストでの清掃活動《せいそうかつどう》ではシェルパたちに助《たす》けられたし、富士山《ふじさん》ではそれこそ何千人《なんぜんにん》もの参加者《さんかしゃ》とゴミを拾《ひろ》ってきた。仲間《なかま》が増《ふ》えることによって不可能《ふかのう》だと思《おも》われたことが実現《じつげん》していく。みんなで本気《ほんき》を出《だ》せばできないことはないと、富士山《ふじさん》の清掃活動《せいそうかつどう》から学《まな》んだんだ。

最後《さいご》に、読者《どくしゃ》のみんなに報告《ほうこく》したいことがある。ぼくの環境学校《かんきょうがっこう》にきてくれる子《こ》どもたちが、その後《あと》に自分《じぶん》たちで活動《かつどう》を展開《てんかい》したことだ。

小笠原諸島《おがさわらしょとう》の小中学生《しょうちゅうがくせい》たちが島《しま》じゅうに捨《す》てられた車《くるま》を探《さが》し、約《やく》五〇台《だい》あることがわかり、みんなで手分《てわ》けをして捨《す》てた人《ひと》を探《さが》したり、ポスターをかいて島《しま》じゅうにはったり、また村長《そんちょう》さんに、捨《す》てられた車《くるま》を撤去《てっきょ》しようと提案《ていあん》などした。大人《おとな》たちは捨《す》てられている車《くるま》のことは知《し》っていたけれど、処理《しょり》しようとすれば大変《たいへん》なことになるので、見《み》て見《み》ぬふりをしてほっておいた。ところが、島《しま》の子《こ》どもたちがどんどん活動《かつどう》するのを見《み》た時《とき》、なかなか動《うご》こうとしなかった島《しま》の大人《おとな》たちが、「よし！それじゃみんなできれいにしよう！」と、子《こ》どもたちといっしょに車《くるま》の撤去作業《てっきょさぎょう》を始《はじ》めた。子《こ》どもたちが動《うご》いたことによって島《しま》の社会《しゃかい》が動《うご》いたのだ。

ぼくはこれからも全国《ぜんこく》の子《こ》どもたちといっしょに、この美《うつく》しい日本を守《まも》っていきたい。もっともっと仲間《なかま》を増《ふ》やして大《おお》きなアクションにしていきたい。みんなにも協力《きょうりょく》してほしいんだ。ねっ、いっしょにやろうよ。

二〇〇六年《ねん》四月十日《がっとおか》　野口《のぐち》　健《けん》

ヒューマン・ノンフィクション
あきらめないこと、それが冒険だ
―エベレストに登るのも冒険、ゴミ拾いも冒険！―

2006年　6月14日　第1刷発行
2020年　10月30日　第15刷発行

著　者／野口　健（のぐち　けん）
表紙写真／平賀　淳
装　丁／株式会社インターヘッズ（立部雄二）
協　力／和順高雄
発行人／松村広行
編集人／小方桂子
発行所／株式会社学研プラス　〒141-8415　東京都品川区西五反田2-11-8
印刷所／壮光舎印刷株式会社

この本に関する各種お問い合わせ先
●本の内容については、下記サイトのお問い合わせフォームよりお願いします。
https://gakken-plus.co.jp/contact/
●在庫については　Tel 03-6431-1197（販売部）
●不良品（落丁、乱丁）については　Tel 0570-000577
学研業務センター　〒354-0045　埼玉県入間郡三芳町上富279-1
●上記以外のお問い合わせは　Tel 0570-056-710（学研グループ総合案内）

NDC916　120P　22cm